YTEYRN

Y TEYRN

GARETH W. WILLIAMS

Gomer

Cyhoeddwyd yn 2013 gan
Wasg Gomer, Llandysul, Ceredigion SA44 4JL
www.gomer.co.uk

ISBN 978 1 84851 720 2

Cyhoeddwyd gyda chymorth ariannol Cyngor Llyfrau Cymru.

Argraffwyd a rhwymwyd yng Nghymru gan
Wasg Gomer, Llandysul, Ceredigion.

Cydnabyddiaethau

Hoffwn ddiolch i'm cyfeillion niferus a roddodd eu barn greadigol i mi wrth i'r nofel hon ddatblygu. Diolch i Ann Lewis am ei 'chlust' o Geredigion, ac i Luned Whelan, fy ngolygydd, am gadw'r ffydd.

Dechrau

Cafwyd noson amheuthun yn y clwb bychan sy'n rhan bwysig o fywyd Maes Carafannau'r Berig, ac o fywyd cymdeithasol ardal tref y Berig ei hun, o ran hynny. Tuedda'r ffermwyr a'u gweision gasglu yno yn eu Land Rovers i osgoi gyrru'n rhy bell ar hyd lonydd culion y fro. Caiff y gweision gyfle i gwrdd ag ambell lodes lân ddaw i'r gwersyll gyda'i rhieni o Birmingham neu Stockport, a manteisio ar awyrgylch nos Sadwrn bob noson o'r wythnos yn ystod yr haf.

Mae tipyn o waith adnewyddu wedi digwydd, ac er bod sgaffaldau'n dal yno, mae'r clwb yn edrych yn ddigon llewyrchus. Lolfa, bar, ac ystafell i'r plant, bwrdd pŵl a'r jiwc-bocs angenrheidiol. Nid bod y lolfa'n lle crand o fath yn y byd. Ei hatyniad mwyaf ydy ei bod fel arfer yn llawn pobl, y rhan fwyaf ohonynt yn dianc rhag sŵn eu plant eu hunain. Mae ynddi hen biano, ac fel arfer mae rhywun yn ddigon hyderus i fynd ato i godi ysbryd y cwmni.

Cerdded o'r lolfa hon tua hanner awr wedi deg roedd y dyn canol oed, parchus yr olwg. Dim ond digwydd taro i mewn am beint wnaeth e, a'i gael ei hun yng nghanol noson heb ei hail o gyfeddach. Roedd y cwrw a'r wisgi'n llifo, ac ymddengys i'r gŵr droi tua'i wely yn sigledig swrth cyn diwedd y noson. Trawodd i mewn i'r siop tsips gyferbyn am bryd cyn noswylio. Roedd wedi pasio'r pwynt o deimlo embaras am ei feddwdod.

Croesodd y ffordd ac ymlwybro tua'i garafán yng nghornel bellaf y cae, a'i becyn tsips yn ei law. Oedodd wrth floc y cawodydd i fwyta, a thaflu'r bag i flwch sbwriel ger y drws. Gallai glywed sŵn y rhialtwch yn parhau y tu ôl iddo. Tynnodd focs o boced ei siaced, rholio sigarét yn drwsgl, tanio'r beth aflêr ac ymlwybro ymlaen tua'r garafán.

Nid problem hawdd ei datrys oedd agor y sip ar adlen y garafán, ond llwyddodd yn y diwedd. Agorodd y sip yn swnllyd a'i gau yr un mor swnllyd ar ei ôl. Ymbalfalodd am ei allweddi a llwyddo i agor y drws tu mewn. Ar ôl cyrraedd ei annedd, gwthiodd weddillion ei sigarét i lawr twll y sinc, a heb ddiosg ei ddillad, syrthiodd yn swp ar y gwely. Meddyliodd am wneud cwpanaid o goffi, ond daeth cwsg drosto.

Cododd cri gwylanod o fan cyfagos, yn dal i chwilio am eu tamaid yng nghyffiniau goleuni'r siop tsips.

Pennod 1

Doedd hi ddim wedi bod yn wythnos dda i'r Ditectif Inspector Arthur Goss: ceisio rhoi'r gorau i smygu, dal annwyd, derbyn *decree nisi* drwy'r post a cholli'r tŷ i'w wraig, neu ei gyn-wraig bron â bod, Gloria. Wedyn clywodd ei bod hi'n rhannu'r tŷ hwnnw ag athro ffidil peripatetig o Aberystwyth.

'Anghydffurfiwr' ym mhob ystyr i'r gair oedd Arthur Goss – yn ei waith, ei agweddau cymdeithasol ac, yn anffodus iddo ef, yn ei deulu hefyd. Roedd yn rhaid iddo gyfaddef ei fod bellach wedi colli tipyn go lew o'i raen. Dyn eithaf tal, eithaf tenau, eithaf popeth mewn gwirionedd ydoedd – gwallt eithaf brith, eithaf byr a'i broffil yn magu tipyn bach o floneg. Roedd cysgod o'r llanc talsyth a ddenodd Gloria yno o hyd, ond rhaid oedd chwilio'n fwy dygn amdano bellach. Er hyn, roedd min yn dal ar y meddwl. Tri mis oedd ganddo nes byddai'n ymddeol, ond ni wyddai p'un ai rhyddhad neu golled fyddai'r digwyddiad. Byddai'r meddwl wedi ei hogi ond ni fyddai dim i'w herio.

Roedd Gloria eisiau bod yn rhan o bopeth ac Arthur ddim eisiau bod yn rhan o ddim. Ymunodd hi â'r clwb drama, y *ramblers*, a'r dosbarth aerobeg, a bu hi hefyd yn gynghorydd cymunedol. Wnâi Arthur ddim hyd yn oed ymuno â'r clwb pysgota. Pleser unig oedd unig bleser Arthur.

Ar ôl i Lois ac Alun dyfu a gadael cartref i fynd i goleg a gwaith, tyfodd y bwlch rhwng eu rhieni'n agendor mawr. Âi hi i'w gwaith yn y llyfrgell ac yntau i'w swyddfa. Dychwelai hithau'n hwyr o'i chwmnïa a dychwelai yntau'n hwyrach o'i waith, ac ychydig iawn o Gymraeg oedd rhyngddynt.

'*Ponytail*, dwi'n siŵr,' meddai Arthur wrth edrych allan o ffenest swyddfa'r heddlu yn y Rhewl ar ddiwedd mis Awst a fu'n syndod o sych. '*Vegetarian* ac yn dreifio Citroën 2CV, fetia i. Bastard!' ychwanegodd wedyn cyn troi at y llwyth o bapur ar ei ddesg. Oedodd wrth feddwl am y 'plant'. Roedd Lois yn teithio yn Awstralia, a derbyniai Goss negeseuon nodweddiadol hwyliog ganddi'n achlysurol. Merch ei thad oedd hi, a doedd hynny ddim wedi newid yn sgil y gwahanu, yn wahanol i'w brawd, oedd bellach yn gweithio yn Swindon. Hogyn ei fam fu ef erioed a phrin fu'r gyfathrach rhyngddynt wedi'r gwahanu. Hyderai mai nodwedd dros dro oedd hynny.

Ni wyddai'n iawn ai i osgoi hel meddyliau y daethai i'r gwaith ar brynhawn Sul, neu am fod llwyth o waith papur ganddo i'w wneud. Doedd e ddim wedi gwneud fawr ddim o'r gwaith hwnnw chwaith.

'Te, syr?' ebe llais cyfeillgar.

'Ac mae te'n mynd i ddatrys problemau'r bydysawd, ydy o, Price bach?' atebodd Goss, heb droi i edrych ar y cwnstabl.

Pump ar hugain oed yn tynnu am ddeg oedd disgrifiad Goss o'r cwnstabl – dyn ifanc yn llawn awyddfryd pur am bopeth. Prop cydnerth i glwb rygbi'r dref, un o hoelion wyth y gymdeithas ac arwr i'w fam. 'Golau 'mlaen, neb adref' oedd asesiad Goss ohono.

'Wel, dim ond meddwl licech chi baned bach gan 'mod i a Reynolds yn neud un cyn mynd mas i'r *gymkhana* yn Cilie.'

'Na. Na ... dim diolch,' meddai Goss wedyn, gan geisio rhoi rhyw arlliw o werthfawrogiad yn ei lais. 'Ydech chi'n siŵr y byddwch chi'n iawn yn y Cilie 'na? Sdim angen *back-up* arnoch chi?'

'Wy'n siŵr gallwn ni ddod i ben yn ddigon teidi, diolch. Bydd Sarjant Murphy ar hyd y lle, ta beth,' atebodd Price, ac ymdrech Goss ar goegni fel petai wedi mynd dros ei ben yn llwyr.

'Iawn. I'r gad 'te,' meddai Goss.

'I'r gad, syr ... Beth yw *gymkhana*, syr?' holodd Price cyn cau'r drws.

'Sioe geffylau,' atebodd Goss.

'O. Jest meddwl bod pethe ddim fel arfer yn digwydd ar y Sul yn fan hyn.'

'Mewnfudwyr, Price bach. Gwneud pethe'n wahanol. Mewnfudwyr.'

'Mewnfudwyr, syr,' ebe Price cyn cau'r drws ar ei ôl.

'Diolch i'r drefn fod y plant wedi llwyddo i ddianc o'r twll 'ma cyn i'w brêns nhw suro,' ychwanegodd Goss yn dawel wrtho'i hun. 'Mi ydw i wedi gweithio am oes i gadw'r lle 'ma'n bur. Wedi llwyddo i gadw'r lle 'ma'n *boring* ydw i. Cadw pobol mewn trefn, eu cadw nhw rhag pechu. Eu cadw nhw'n *boring*! Falle daw rhyw ddaioni o fewnfudwyr. Maen nhw'n gwneud pethe'n llai *boring* o leiaf!' Cododd y darn papur cyntaf oedd ar ben y domen.

'*Sheep theft in Bronwydd*,' darllenodd. 'I rest my case,' meddai wedyn cyn troi i wynebu gweddill y papurach o'i flaen.

*　　　*　　　*

11

Roedd cael gwared o bentwr o waith papur yn rhoi boddhad i rywun mewn rhyw ffordd fasocistaidd, meddyliodd Goss ar ei ffordd yn ôl i swyddfa'r heddlu wedi tri pheint yn y Llew Du. Fel cadw carreg finiog yn dy geg trwy'r dydd jest er mwyn cael y pleser o'i thynnu hi allan ar ei ddiwedd.

Galwodd heibio i'r swyddfa i nôl ei sbectol ar y ffordd adref i'w fflat. Bu'n gweithio'n eithaf dygn am ryw ddwy awr, a mynd i hwyl tacluso cyn rhoi'r ffidil yn y to a chilio i hedd y dafarn yn teimlo'n falch o'i orchestwaith clerigol.

Tua hanner awr wedi deg oedd hi.

Cododd ei law ar James wrth fynd heibio i gownter swyddfa'r heddlu. Cwnstabl canol oed oedd James, ac wedi byw yn yr ardal ar hyd ei oes. Un o'r bobl ddibynadwy hynny sydd bob amser yn cŵl mewn cyfyngder ac un a chanddo ateb parod i broblemau bychain bywyd.

''Nôl 'to,' meddai James wrth i Arthur basio'r ddesg.

'Sylwgar iawn,' atebodd Goss. 'Wedi anghofio fy . . . sbectol.' Ond chlywodd James mo'r gair olaf gan fod Goss eisoes wedi cau drws ei swyddfa ar ei ôl.

Aeth yn syth am y cwpwrdd ffeilio. Agorodd y drôr canol a chodi potel o wisgi Jameson o blith y ffeiliau. Arllwysodd ddracht helaeth i gwpan blastig ac olion coffi ynddi, a chymryd llwnc. Eisteddodd wrth ei ddesg i fwynhau'r taclusrwydd cymharol oedd arni o'i gymharu â'r hyn a welsai'n gynharach. Gorffennodd gynnwys y gwpan.

Roedd ar fin codi i roi joch pellach ynddi pan ganodd y ffôn.

'James 'ma, syr.'

'Oedd raid i ti ffonio? Allet ti ddim fod wedi . . . O, sdim ots. Be sy?'

'Dipyn o ddigwyddiad yn y Berig,' meddai James.

'Ffarmwr wedi colli ei ddefaid? Dwi *off duty*, cofia.'

'Sori, syr, ond meddwl dylen i weud wrthoch chi gan bo' chi 'ma. Mae e dipyn bach mwy *serious*. Ma' carafán wedi chwythu lan draw 'na.'

Ochneidiodd Arthur.

'Ddim dyna ydy *serious crime*, James. Pam na all y plismon lleol ddelio efo'r peth? Mae'r Berig ugain milltir o'r fan hyn.'

'Mae'n job i CID, syr.'

'Pam?'

'Roedd rhywun ynddi, syr.'

'O, ocê,' meddai Goss yn flinedig. 'Dwed wrth Price am ddod â'r car yma. Mae 'na fisoedd ers iddo gael cyfle i ddefnyddio'r golau glas yna. O, a dwed wrtho nad ydy o mewn rali. Dwi bron yn hanner cant ac o fewn chwiffiad i ymddeol.'

'Iawn, syr.'

*   *   *

'Dal dy ddŵr wnei di, Price! Focus ydy hwn, ddim Ferrari,' meddai Goss yn ddiamynedd pan wichiodd teiars car yr heddlu am y degfed tro ar y ffordd droellog i'r Berig.

'Sori, syr,' atebodd Price, a gwichiodd y teiars unwaith eto. Nid bob dydd mae plismyn cefn gwlad yn cael cyfle i hyrddio drwy'r nos a'r golau glas yn fflachio, ac roedd Price am wneud y mwyaf o'r achlysur. Plethodd Arthur Goss ei freichiau o'i flaen a phenderfynu gadael i'r plismon ifanc fwynhau ei foment fawr. Doedd y Berig ddim yn bell.

'Reit. Hapus rŵan? Yr adrenalin yna'n pwmpio, ydy o?'

meddai Goss wrth ei ddadfachu ei hun o wregys gyrru'r car ar ôl iddyn nhw gyrraedd.

'Jest meddwl na ddylen ni fod yn hongian obyty mewn emerjensi o'n i,' atebodd Price.

Rhaid oedd cyfaddef bod golygfa oedd yn dipyn o 'emerjensi' yn eu cyfarch pan gyrhaeddon nhw: ceir heddlu o bob cwr o'r ardal, o'r hyn a welai Goss; dwy injan dân, ambiwlans a thorf o wylwyr eiddgar a oedd wedi ymgynnull o gwmpas gweddillion carafán. Roedd yr ambiwlans yn gadael. Roedd criw'r frigâd yn dal i bwmpio dŵr yn eiddgar, er na ddôi dim fflamau a fawr ddim mwg o'r gweddillion.

Brasgamodd Goss drwy'r dorf yn dal ei gerdyn gwarant. Camodd dros y tennyn plastig oedd yn amgylchynu'r garafán. Daeth prif swyddog y frigâd dân i'w gyfarfod yn yr hanner tywyllwch y tu hwnt i'r llifoleuadau llachar. *Stay away from the caravan if you please, sir.* O, sori, sylweddolais i ddim taw chi oedd 'na, Mr Goss.'

'Ie, fi sy 'ma. Dwyt ti ddim wedi taflu digon o ddŵr ar y garafán yna eto, Jenkins?'

'Wel, mae'n rhaid i ni neud yn siŵr bod y tân mas a phopeth wedi oeri.'

'Oes, ond mae gwahaniaeth rhwng diffodd y tân a golchi'r garafán i'r môr, yn does? Dydy gormod o ddŵr ddim yn mynd i fod yn help mawr i ni drio dallt be achosodd y tân yn y lle cyntaf, ydy o?'

'Gadewch y tanau i ni, Mr Goss, gewch chi wneud y plismona wedyn.'

'Meddwl oeddwn i na fyddai'r hen Lambert yn rhy hapus o ddarganfod bod popeth ar gyfer ei ymchwiliad o wedi ei olchi i ebargofiant,' atebodd Goss yn ddiniwed.

Trodd y prif swyddog i gyfeiriad y garafán wrth

glywed enw'r archwilydd fforensig. Arhosodd am eiliad i wneud ei bwynt, ac yna codi ei fraich yn arwydd y dylai'r pympiau gael eu diffodd. Trodd yn ôl at Goss.

'Hapus nawr?'

Meddyliodd Goss mai doethach fyddai peidio ymateb.

'Be ydy'r hanes?' holodd yn ffurfiol gan edrych i gyfeiriad y garafán, a oedd wedi agor fel blodyn trwy ei tho, a sgerbydau o farrau metel yn ymwthio o'r canol lle unwaith bu'r waliau mewnol. Roedd y waliau allanol wedi cyrlio i'r llawr fel petalau'n agor, a gwydr y ffenestri plastig yn sglefrian i lawr eu hochrau. 'Oes rhywun wedi marw?'

'Ddim 'to, ond synnen i ddim taw 'na fydd hanes y boi o'dd tu fewn. Do'dd e ddim yn edrych yn rhy iach pan adawodd e,' meddai Jenkins mewn ffordd ffwrdd-â-hi – arwydd sicr o rywun oedd wedi hen arfer â digwyddiadau erchyll.

'Unrhyw syniad pwy oedd o?'

'Dyn canol oed, weden i. Wedodd e ddim lot cyn i'r ambiwlans fynd ag e o 'ma. Damwain nwy, o bosib. Smoco yn y gwely falle? Gormod i yfed? Ro'dd e'n dal yn 'i ddillad, hynny oedd ar ôl ohonyn nhw. Mynd trwy'r to nath e. Glanio fyn 'na.' Amneidiodd Jenkins at bwynt ryw ugain llath o'r garafán lle roedd cwrlid gwely gwlyb wedi hanner ei losgi, darnau o bren, llestri wedi malu a phadell ffrio'n gorwedd, y cyfan yn llachar wyn o dan y llifoleuadau, er gwaetha'r parddu.

'Gwaith i Lambert, dim llawer i ni, o'r hyn wela i,' meddai Goss wrth gamu i ganol yr anialwch. Edrychodd i fyny. Dim cwmwl, a'r sêr yn glir mewn wybren ddileuad.

'Be ydy rhagolygon y tywydd?' holodd e Price, a oedd wedi cyrraedd erbyn hyn i symud y dorf yn ei hôl gyda gweddill y gatrawd heddweision.

'Dim glaw tan ddydd Mercher, glywes i.'

'Well i ni drefnu gorchudd dros y cyfan 'run fath. Er, dwn i'm faint o wahaniaeth wnâi glaw wedi i fois y frigâd wlychu pob dim.'

Roedd y dorf wedi dechrau cilio gan nad oedd dim mwy i'w wneud na gwylio'r dynion tân yn rholio'u pibellau. Troediodd Goss yn ofalus rhwng y gweddillion. Ni fentrodd i ganol y garafán rhag amharu ar waith Lambert yn y bore. Arhosodd wrth yr adlen, a oedd yn amlwg wedi cael ei chwythu yn erbyn carafán wag gyfagos gan rym y ffrwydrad. Roedd y sip ar agor hyd at ryw dair troedfedd o'r fan lle byddai wedi cwrdd â'r llawr. Ychydig iawn o barddu oedd i'w weld ar y tu allan, ac agorodd Goss y sip fymryn i weld faint oedd ar y tu mewn wedi ffrwydrad o'r fath, ond o chwilfrydedd cyffredinol yn hytrach na phroffesiynol. Wedi'r cwbl, doedd fawr o dystiolaeth o anfadwaith, dim ond o anlwc, twpdra neu flerwch. Câi adroddiad Lambert o fewn yr wythnos. Rhôi yntau adroddiad byr i mewn, a dyna fyddai diwedd y mater.

Caeodd y sip wedyn, rhag ofn i Lambert sylwi ei fod wedi bod yn tincran cyn iddo gael ymchwilio'n swyddogol. Digwyddodd sylwi pa mor hawdd y llithrodd y sip ar gau. Rhedodd ei fys ar hyd y crafangau bychain a chael bod olew tenau yr holl ffordd i waelod y sip, a hwnnw'n eithaf ffres. Llithrodd yr hylif yn llyfn rhwng ei fysedd. Edrychodd yn fanylach â thortsh fechan o'i boced, a gweld staen ysgafn o olew oddeutu cledrau'r sip.

Camodd at y garafán gan edrych ar y llawr. Roedd llawr plastig yr adlen yn syndod o sych ar yr ymyl bellaf o'r drws, er y chwistrellu mawr a fu gan y frigâd dân. Craffodd ar yr ymyl a gweld ôl troed lleidiog ac enw'r brand Nike yn amlwg yn ei ganol. Camodd at yr hyn oedd yn weddill o'r drws a chodi llestr metel bychan oedd yn nofio ar y llawr. Rhoddodd y llestr mewn amlen blastig a dynnodd o'i boced.

'Price,' meddai'n ddisymwth. 'Cer â fi i'r ysbyty. Rho dipyn bach o sbarc yn dy ddreifio, wnei di, yn lle loetran fel gwnest ti ar y ffor' yma!'

'Beth yw'r hast, syr?' gofynnodd Price yn syfrdan.

'Well i ni gael gair efo'r creadur oedd yn y garafán yma. O be glywais i, doedd o ddim yn edrych yn rhy iach pan adawodd o, a does dim dal am ba hyd y bydd o ar dir y byw. Pwy sy'n edrych ar ôl y siop?'

'Ma' Sarjant Murphy ar 'i ffordd, ond dwi ddim yn credu 'i fod e'n rhy hapus.'

Wrth i'r plismon ifanc ddweud y geiriau, gwelai Arthur Goss olau glas yn fflachio yn y pellter. 'Ty'd, mi gaiff yr hen ddiawl ennill ei damaid am unwaith, mi welwn ni o ar y ffordd.'

Daeth car Sarjant Murphy i'w gyfarfod a llwyddodd Price i'w stopio. Gwichiodd teiars y ddau gar wrth ddod i stop ochr yn ochr.

'Mr Goss, Sarjant,' meddai Price drwy'r ffenest yn amneidio â'i ben at ei gymar yn y car.

'O,' meddai Murphy a chamu allan o'r car.

Agorodd Goss ei ffenest i gyfarch y Sarjant rhadlon, oedd yn edrych fel petai wedi bod yn blismon ers Oes Fictoria.

'Falch o weld dy fod di *on the ball* fel arfer, Murphy,' meddai Goss yn goeglyd.

'Does 'da fi ddim Michael Schumacher yn *chauffeur*, syr, ac ro'dd Idwal wedi bod ar y pop heddi yn y *gymkhana* ac wedi penderfynu ymosod ar ryw Sais yn y dafarn wedyn.'

'Pwy enillodd?'

'Idwal, syr.'

'Gwbod y stori yn fama?'

'Odw, syr. Nwy, smoco, bang. Dim byd i gynhyrfu'r dyfroedd.'

'Falle ddim, ond mi ydw i isio gwybod pwy oedd o a lliw ei berfedd o erbyn bore fory. Be oedd o'n ei wneud yma? Be oedd o'n ei wneud yn gynharach heno? Hola.'

'Ond mae'n mynd yn hwyr, syr.'

'Ydy, Murphy, ond mi fydd gen ti ddigon o help. A hola'r bobol yn y garafán drws nesa a glywson nhw o'n dod yn ôl i mewn ac ati. Paid â symud dim byd cyn i Lambert gyrraedd, na sathru ar ddim byd chwaith.'

'Sathru?' holodd Murphy.

'Damsgel!' meddai Price yn dawel.

'O, iawn, syr.' Roedd hanner ochenaid yn ei lais. 'Y dyfroedd wedi'u cynhyrfu, syr?'

'Falle, Murphy, falle ddim. Price, ysbyty ddwedes i,' meddai Goss yn sydyn. 'Yn y bore, Murphy. Deg o'r gloch,' cyfarthodd, cyn i Price wasgu'r sbardun a hyrddio trwy'r lonydd cul a Murphy'n edrych yn synfyfyriol ar eu hôl.

'Iawn, syr,' meddai Murphy eto wrth wylio'r car yn diflannu i'r pellter yn nhawelwch y nos. 'Blydi Gogs,' ychwanegodd.

*   *   *

'Helô, Mr Goss. Neis eich gweld chi 'to,' meddai'r ferch y tu ôl i dderbynfa uned achosion brys Ysbyty Aber wrth i Arthur gyrraedd a'i wynt yn ei ddwrn, a Price yn ei ddilyn. Roedd hi'n amlwg yn hen gyfarwydd â'r

Inspector, a ddôi yno'n aml ar drywydd dihirod wedi eu hanafu oedd yn ceisio lloches ac ymgeledd. Roedd hi wedi bod wrth ei gwaith yn ddigon hir i wybod bod codi tarian i amddiffyn y doctoriaid a'r cleifion rhag y byd mawr tu allan yn rhan bwysig o'i swydd. Roedd Arthur yn symbol perffaith o'r 'byd mawr' hwnnw. Gwenodd wên lydan arno. Doedd neb yn mynd i ddod trwy borth ei chastell heb ei chaniatâd hi.

'Dyn, newydd ddod i mewn, tua hanner awr yn ôl falle. Wedi'i losgi. Ambiwlans o'r Berig,' meddai Goss yn floesg.

'Enw?' holodd hithau gan ddal i wenu.

'Nac oes,' meddai Goss yn swta.

'Wel, mae hynny'n cymhlethu pethau braidd, on'd yw e? Gadewch i fi weld . . .'

'Damia, faint o gleifion wedi'u llosgi'n ddifrifol sy wedi dod i mewn i'r lle 'ma heno, ddynes?'

Roedd hi'n amlwg nad aeth y 'ddynes' i lawr yn rhy dda. Gwenodd y wraig ar Price gan edrych drwy Goss. Cododd hwnnw ei ysgwyddau gyda pheth embaras y tu ôl i'w fòs.

'Licech chi gymryd sedd ac fe af i i tsecio?'

'Na, hoffwn i ddim "cymryd sedd", diolch yn fawr. Oes 'na rywun wedi dod i mewn?' meddai Goss yn chwyrn.

'Oes.'

'Yn yr hanner awr diwetha?'

'Wedi'i losgi?'

'Ie! Lle mae o?'

'Ar y ward.'

'Pa ward?'

'Tri.'

'Diolch.'

'Allwch chi ddim mynd lan 'na,' meddai'r ferch, wrth weld Goss yn troi i gyfeiriad y wardiau.

'Pam lai?'

'Ward *intensive care* yw hi.'

'Ffoniwch i ddweud 'mod i ar fy ffordd,' meddai Goss wrth gychwyn, gan adael Price yn sefyll o flaen y dderbynfa.

'Ma' fe'n rial *charmer*, on'd yw e?' meddai'r ferch wrth Price.

'George Clooney y ffors,' meddai Price wrth droi i'w ddilyn. 'Wy'n meddwl bydde'n syniad ffonio i weud bod Mr Carisma ar 'i ffordd,' ychwanegodd wedyn i geisio lliniaru rywfaint ar y sefyllfa ar ôl i Arthur fynd o'r golwg rownd y gornel. Neidiodd i mewn i'r lifft cyn i'r drws gau. Safodd y ddau'n dawel tra esgynnodd y lifft.

'"Mr Carisma", ie?' meddai Arthur.

'Wel . . .' meddai Price mewn embaras. 'Mae'n rhaid i rywun iro'r olwynion weithie,' ychwanegodd â gwên fawr.

'Dwyt ti ddim cweit mor dwp ag wyt ti'n edrych, wyt ti?'

'Gobeithio ddim, syr.' Agorodd y drws a arweiniai at ward tri a brasgamodd y ddau i lawr y coridor. Roedd Dr Chandra'n aros amdanynt. Roedd y neges oddi isod wedi eu rhagflaenu.

'I'm Detective Inspector Goss. We haven't met before.'

'I know.'

'You know that I'm Inspector Goss or that we haven't met before?' meddai Goss yn ysgafn.

'Both.'

'From reception?'

'You could say that your reputation precedes you,

Mr Goss. A very "charismatic" character, I'm told. I understand that this is Constable Price?'

Gwenodd Arthur yn wawdlyd ar Price, a gwyddai nad person i'w ddiystyru oedd Dr Chandra er gwaetha'r ffaith ei fod yn newydd i'w swydd.

'You have a patient.'

'We have many patients.'

'A severely burned patient, recently arrived?'

'Indeed. He's over there,' gan gyfeirio at lenni o amgylch gwely ym mhen pella'r coridor.

Trodd Goss i gerdded tuag at y llenni.

'Allwch chi ddim mynd i mewn, mae gen i ofn. Mae e'n ddifrifol wael,' meddai'r doctor mewn Cymraeg perffaith, ond â thinc anghyfarwydd yn ei acen.

Stopiodd Goss yn stond.

'Sri Lanka, Prifysgol Caerdydd, Wlpan, yn dda iawn gydag ieithoedd. Fe allwch chi gau'ch ceg nawr, Mr Goss,' wrth weld Goss yn gegrwth. 'A na, allwch chi ddim mynd i mewn i'w weld e,' pwysleisiodd wedyn.

'Ydy o'n wael iawn?' holodd Goss

'Yn wael iawn, iawn.'

'Yn debygol o fyw?'

Gwnaeth Dr Chandra ystum i gyfleu anwybodaeth. 'Llosgiadau tua wyth deg y cant. Mae e'n anymwybodol ar hyn o bryd. Diolch am hynny.'

'Ga i roi fy mhen i mewn i'w weld?'

'Dim ond eich pen. Gwisgwch y rhain,' meddai, gan gyfeirio at bentwr o gobanau papur a mygydau. 'Dydy e ddim yn bert.'

Closiodd y tri at y llenni. Aeth y doctor i mewn at y claf. Arhosodd Goss a Price yn y bwlch yn y llenni.

Yng nghanol y pibellau a'r peiriannau, a rhwng dwy

nyrs oedd yn gwisgo mygydau, roedd gwely. Arno gorweddai corff o gnawd noeth yn hollol ddiymadferth. Roedd esgyrn yn dangos drwy'r cnawd mewn mannau a'r cnawd hwnnw wedi codi'n swigod duon. Roedd eli gwyn yn cael ei iro i'r cnawd noeth a chroen plastig yn cael ei gordeddu am ei freichiau a'i goesau. Ni ellid gweld yr wyneb oherwydd y mwgwd ocsigen oedd drosto ond, hyd yn oed hebddo, byddai ei berthynas agosaf wedi'i chael hi'n anodd adnabod y claf.

Roedd llygaid Price yn dechrau pefrio uwchlaw ei fwgwd.

'Amser mynd?' holodd Dr Chandra â hanner golwg ar Price.

'Ydy, dwi'n meddwl,' atebodd Goss er mawr ryddhad i'r heddwas ifanc.

'Fe gewch chi wybod os bydd unrhyw newid,' ychwanegodd Dr Chandra. 'Gyda llaw,' meddai wedyn. 'Pwy ydy e?'

'Wyddon ni ddim eto,' atebodd Goss. 'Fe gewch chi wybod os bydd unrhyw newydd.'

'Iawn,' meddai Chandra â gwên a throi yn ôl at ei glaf.

'Mi fydd un ohonon ni yma, yn yr ystafell aros.'

'Iawn,' meddai Chandra eto, heb godi ei ben.

Ciliodd y ddau i lawr y coridor yn diosg eu cobanau papur wrth fynd. Roedd Price yn gwelwi. Trodd at y tai bach ar y ward.

Gwrandawodd Goss o'r tu allan ar sŵn y cyfogi'r tu mewn a gwenu.

Daeth Price allan a pheth lliw wedi dychwelyd i'w fochau.

'Well rŵan?' holodd Goss.

'Odw diolch, syr. Ddim wedi arfer lot 'da pethe fel 'ny.'

'Wel, 'machgen i, mi gei di ymestyn y profiad.'

'O na, syr!'

'O, ie. Mi wna i adael y car i ti ddod adre yn y bore. Dwi'n siŵr y bydd un o'r "tasg-ffors" yn y Berig yn fodlon rhoi lifft adref i mi.'

'Ond, syr . . !'

'Jest gwna dy hun yn gartrefol yn yr ystafell aros, rhag ofn bydd o'n deffro. Mae digon o nyrsys del yn y lle 'ma. Dwi'n siŵr y gwnân nhw edrych ar dy ôl di'n iawn. Gyda llaw, dwi isio'i ddillad o.'

'Iawn, syr.'

'Ydy rhif y ffôn yma gen ti?' ychwanegodd Goss gan gyfeirio at ei ffôn symudol.

'Ody, syr.'

'Iawn 'te,' a cherddodd Goss ar hyd y coridor tawel gan roi'r ffôn wrth ei glust. 'Goss yma,' meddai wrth rywun ar y pen arall i'r lein. 'Angen lifft o'r ysbyty yn Aber,' a diflannodd i wyll goleuadau nos yr ysbyty.

Edrychodd Price ar ei ôl.

Pam yr holl ffys? meddyliodd. Damwain yw damwain yw damwain, wedi'r cwbl.

Daeth nyrs hynod ddeniadol o rywle. 'Yn aros efo ni heno?' meddai'n gyfeillgar gan amneidio at yr ystafell aros. 'Panad?' holodd wedyn.

'Diolch yn fawr,' atebodd Price, yn derbyn ei dynged ychydig yn llai cyndyn yn sydyn. 'Ym, ody'n bosib i fi ga'l dillad y claf?'

'Maen nhw mewn bag yn y swyddfa,' atebodd hithau. 'Gewch chi nhw wedyn. Ond panad yn gynta, ia?'

'Ie, diolch. O ble y'ch chi'n . . .' ond roedd hi wedi mynd.

'Does gynnoch chi ddim byd gwell?' meddai Goss wrth yr heddwas a ddaeth i mewn trwy ddrws yr ysbyty yn ei lifrai lledr a chynnig helmed i Goss. Cododd y cwnstabl y llen blastig a guddiai ei wyneb.

'Sori, syr. Pawb arall yn y Berig. Sarjant Murphy yn craco'r chwip i gael gwbod pwy oedd rhyw ddyn gafodd ei losgi mewn carafán yno.'

'Wn i. Wn i. Ty'd yn dy flaen 'te,' meddai Goss yn flinedig a derbyn yr helmed yn anfodlon. 'Wyt ti'n nabod Price?'

'Alun Price o'r Rhewl? Ro'n ni yn y coleg 'da'n gilydd. Fuon ni ar y cwrs dreifo 'da'n gilydd 'fyd.'

'Ti ddim yn dweud.'

'Pam, syr?'

'Jest cymra hi'n hamddenol ar y ffordd 'nôl,' meddai Goss, a chamu i'r awyr iach i gyfeiriad beic y plismon ar waelod y grisiau.

*   *   *

Ugain munud yn ddiweddarach, camodd yr Inspector oddi ar y beic yn y Rhewl a rhoi'r helmed yn ôl i'r heddwas.

'"Hamddenol", ddwedes i! Mi welis i feics yn mynd yn arafach yn Brands Hatch!' Ni allai weld y wên lydan ar wyneb yr heddwas y tu ôl i'r gorchudd plastig wrth iddo roi'r helmed yn ôl yn y bocs ar gefn y beic.

'Nos da,' meddai'r heddwas wedyn cyn sbarduno'r peiriant a diflannu i'r gwyll trwy oleuadau oren y stryd wag.

Trodd Goss yn flinedig tua'i fflat. Roedd hi'n hanner awr wedi tri. Ga i ryw bum awr o gwsg, meddyliodd. Dyna dwp ydy mynd i mewn i'r swyddfa ar ddiwrnod rhydd, meddyliodd wedyn.

Gwthiodd yr allwedd i'r clo ac agor y drws. Roedd blas y Jameson yn ei geg o hyd, ond roedd wedi suro bellach. Camodd i'r gegin a gweld y domen o lestri heb eu golchi yn y sinc. 'Bygar,' ochneidiodd wrth lenwi'r tegell.

'Bygar,' meddai eto pan agorodd ddrws yr oergell a gweld nad oedd llaeth ynddi. Roedd potel o wisgi yno. Edrychodd arni am eiliad, cau'r drws yn glep, llenwi gwydraid o ddŵr o'r tap a'i yfed.

Na, dydy bywyd ddim yn mynd mewn llinellau syth, meddyliodd, gan gario gwydraid arall o ddŵr i'r lolfa ac eistedd yn un o'r cadeiriau esmwyth ger y bwrdd coffi. Ymbalfalodd ymhlith y papurau a darganfod pecyn o sigaréts. Ddim heno ydy'r noson i roi'r gorau i smocio, meddyliodd.

Agorodd y pecyn a dod o hyd i un sigarét. Dydy popeth ddim yn dywyll, meddyliodd, gan ei thanio a gwylio'r mwg glas yn codi'n araf i'r nenfwd.

*   *   *

Tua hanner awr wedi pedwar y bore oedd hi pan ddaeth yr un nyrs i mewn a deffro Price o drwmgwsg anghyfforddus. 'Mae Dr Chandra am eich gweld chi.' Sythodd Price a rhwbio'i lygaid, a dilyn y nyrs yn hanner effro ar hyd y coridor i gyfeiriad yr uned gofal dwys.

'Ble ma' fe?' holodd.

'Gyda'r claf.' Trodd Price i mewn i'r ystafell a gweld drychiolaeth yn edrych arno a'i lygaid yn pefrio. Roedd y dyn wedi rhwygo'r mwgwd ocsigen oddi ar ei wyneb ac yn chwifio'i freichiau'n orffwyll. Roedd rhu annealladwy yn dod o'i geg a golwg o banig yn dangos trwy'r swigod a'r briwiau ar ei wyneb wrth iddo ysgwyd ei ben yn ôl ac ymlaen. Roedd nyrs arall yn ceisio dal ei gafael ynddo mor ofalus â phosib, ac roedd y doctor wrthi'n ceisio chwistrellu rhywbeth i'w wythiennau trwy bibell oedd yn sownd yn ei law. Doedd hi ddim yn broses hawdd gan fod y claf mor aflonydd.

'Mae e wedi bod yn ceisio dweud rhywbeth,' meddai'r doctor.

Peidiodd y chwifio gwyllt wrth i'r claf weld y plismon yn ei lifrai. Gwasgodd Dr Chandra'r hylif i'w gorff a disgynnodd y dyn yn ôl ar y gobennydd. Bu tawelwch, a gellid clywed sŵn y peiriant mesur curiadau yn amlwg yn yr ystafell eto, a'r curiadau'n gostegu'n raddol. Rholiodd y dyn ei lygaid mewn lludded. Doedd dim amrantau i'w cau.

'Gaf i?' holodd Price wrth agosáu'n anfoddog.

Nodiodd y doctor a phlygodd Price dros y gwely.

Roedd anadl y dyn yn afreolaidd ond bellach yn ysgafn. Roedd y gwefusau'n symud ond ni chlywid dim.

'What's the matter?' meddai Price, yn methu meddwl am ddim amgenach i'w ddweud a diawlio'i hun wedyn. 'Who are you?' holodd wedyn, gan feddwl bod hynny'n fwy adeiladol.

Ni chlywai ddim rhwng y gwefusau llosgedig, a cheisiodd roi sain i'w symudiadau aneglur, ond methodd. Aeth yn nes at yr wyneb.

Cododd tempo'r peiriant curiadau'n ddisymwth. Cydiodd llaw'r dyn yng ngholer Price a llusgo wynebau'r ddau ynghyd. A chlust Price wrth y gwefusau, daeth llais bloesg gwan. 'Penny-gas.'

Gallai Price deimlo gwres ei anadl ar ei glust am eiliad cyn i'r dyn lacio'i afael a throi ei wyneb at y wal. Roedd y cyffur yn gweithio. Sythodd Price.

'Shit,' meddai, wedi cynhyrfu drwyddo. Roedd y dyn bron yn anymwybodol bellach, ac yn dal i edrych i'r pellafoedd. Arafodd tempo'r peiriant eto. Barnodd Price y gallai fynd, ond wrth iddo droi i ffwrdd, gwelodd law'r dyn yn symud a chlywodd sain y peiriant yn cyflymu ryw ychydig. Roedd y dyn yn amneidio, a'i law yn symud yn rheolaidd ac yn bendant at ei frest ac yn ei bwrw â'i fysedd. Plygodd Price drosto.

'Yes, what? What is it?' Trodd llygaid y dyn ato. Cyffyrddodd y dyn ei frest yn drwsgl unwaith eto ond ag un bys y tro hwn, er mwyn dangos mai gweithred fwriadol oedd hi.

'I see,' meddai Price, yn methu meddwl am ddim byd amgenach i'w ddweud. 'I see,' meddai eto. Trodd llygaid y dyn i edrych at y wal ac edrych ar ddim. Daeth gwich hir o'r peiriant mesur curiadau.

'O'r ffordd, plis,' meddai llais Dr Chandra y tu ôl iddo, ar fin gafael yn y teclyn dadebru. Gadawodd Price ef i'w waith a chilio i ddiogelwch yr ystafell aros. Ymhen tua chwarter awr daeth y nyrs ato. ''Sdim lot o bwynt aros rhagor, dwi ddim yn meddwl.' Cerddodd y ddau'n dawel at ddrws yr ysbyty heibio i'r dderbynfa.

'Cofiwch fi at Mr Carisma,' meddai'r ferch wrth y dderbynfa ar eu hôl.

'Pwy fydd yn galaru?' holodd Price y nyrs.

'Dwi ddim yn gwbod,' atebodd. 'Gwneud ein gwaith ydan ni, dyna'r cyfan. Dach chi isio'r dillad?' holodd hi wedyn a chynnig bag gwyn ac enw'r ysbyty arno i'r plismon.

'Odw, diolch,' a throdd i fynd i lawr y grisiau.

'O . . .' meddai wedyn a throi'n ôl, ond roedd hi wedi mynd.

Roedd hi'n dechrau goleuo, a'r gwylanod yn dechrau cyniwair yn yr awyr i fynd i chwilio am eu tamaid boreol. Tynnodd ei ffôn o'i boced a chwilio am rif Goss. Ysgrifennodd neges destun: 'Dyn RIP. Price'. Cerddodd yn lluddedig at ei gar. Safodd ar y palmant cyn croesi tra aeth BMW du heibio'n araf. Croesodd at ei gar, eistedd ynddo a meddwl yn hir cyn tanio'r peiriant ar gyfer y daith yn ôl i'r Rhewl.

Pennod 2

Deffrodd Arthur Goss i sŵn ei ffôn yn dod o rywle ym mhoced ei drowsus yr ochr arall i'r ystafell. Roedd wedi bod yn pingian yn ysbeidiol ers oriau. 'Blydi ffôns!' meddai'n floesg a chodi'n lluddedig. Darllenodd neges Price. 'O wel,' meddai, cyn anelu am yr ystafell ymolchi ac edrych ar ddrychiolaeth ei wyneb yn y drych. Gwthiodd ei dafod allan. 'Ych a fi!' meddai cyn agor y tap.

Ar ôl ymolchi, chwiliodd am sanau a chrys glân ymysg y pentwr ar gefn y gadair freichiau. Pan symudodd i'r fflat ddeufis yn ôl a dim ond dau lond cês o ddillad yn dyst i ddiwedd ei briodas â Gloria, doedd y dillad ddim hyd yn oed yn lân! Roedd y peiriant golchi dillad yn y fflat wedi torri. O wel, meddyliodd, a phenderfynu y byddai ymweliad â'r *launderette* y noson honno'n syniad da.

*   *   *

Trawodd i mewn i'r siop bapur newydd ar ei ffordd i'r swyddfa, prynu pecyn o sigaréts a thanio'i smôc swyddogol gyntaf ers iddo ailddechrau smygu'n swyddogol. Ar ôl cymryd llwnc hir o fwg, taflodd hi'n orchestol i lawr y draen ar ei ffordd i mewn trwy gatiau cefn gorsaf yr heddlu. Roedd polisi dim smygu'r heddlu'n rheswm da dros ailddechrau, meddyliodd. Aeth i'r ystafell goffi gyferbyn â'r drws cefn ac arllwys llymaid helaeth o goffi i gwpan gymharol lân a ddarganfu yn y sinc. Ymlwybrodd yn feddylgar ar hyd y coridor a'r gwpan yn ei law.

'Y Super wedi bod ar y ffôn. Moyn gair,' daeth llais o'r tu ôl iddo.

'Be oedd ganddo fo isio?' holodd Arthur heb droi at lais Cwnstabl James ar y ddesg.

'Moyn i chi ffono.'

'Ie, ond am be?'

'Wedodd e ddim, syr.'

'O. Unrhyw newyddion am helynt neithiwr?'

'Sarjant Murphy wedi ffono, yn gweud bydd e mewn erbyn deg.'

'Ddudodd o rywbeth arall?'

'Naddo, jest gofyn gaiff e adel i bobol y maes carafanne gliro lan.'

'Ffoniwch o a dweud na, ddim eto. Mi ydw i isio mynd draw yno gyntaf.'

'Iawn, syr.'

Aeth Goss yn ôl at ei goffi. Tynnodd yr amlen fechan o'i boced a gosod y llestr bach metel ar ei ddesg. Tua modfedd a hanner o led a hanner modfedd o ddyfnder. Metel eithaf sâl. Daeth yr heddwas o'r ddesg i'r ystafell.

'Ma' Murphy'n conan, syr. Yn gweud bod perchennog y maes carafanne ar 'i gefn i gael cymoni. Ddim yn dda i'r busnes, medde fe.'

'I be faset ti'n defnyddio rhywbeth fel hwn, James?' holodd Goss yn feddylgar gan gyfeirio at y llestr.

'Cannw'll, syr. Mae'r wraig yn 'u doto nhw rownd y tŷ. Yn gweud bod nhw'n gwynto'n ffein.'

'Ie, James. Jest be o'n i'n feddwl. Mi gân nhw glirio ar ôl i mi fod yno,' meddai wedyn fel petai'n deffro o'i fyfyrio. 'Mi fydda i yno mewn awr.'

'Ma' fe wedi bod 'na drwy'r nos, syr.'

'Iawn 'te, tri chwarter awr,' ychwanegodd wrth godi o'i

ddesg i fynd tua'r maes parcio lle roedd ei gar ers y noson cynt.

Canodd y ffôn ac oedodd cyn ei ateb. 'Goss,' meddai'n ddiamynedd.

'Whitaker,' daeth y llais yn ôl.

'O, chi, syr.'

'Ie, fi. Beth ar y ddaear ydy'r holl ffys 'ma wyt ti'n ei achosi yn y Berig?' Roedd rhywbeth herfeiddiol yn llais y Superintendent. Roedd ei wyneb mawr, llydan a'i osgo filitaraidd yn dod i lawr y wifren o HQ. *Open and shut case*. Damwain. Ddim Beirut ydy'r Berig. Gad i bobol y maes carafannau glirio. Mae'r Berig yn lle tawel neis. *Let's keep it that way.*'

Shit, meddyliodd Goss, mae 'na ryw *bush telegraph* effeithiol iawn yn gweithio'n fan 'ma.

'Ond . . .'

'"Ond", dim byd. *See to it*! Wyt ti'n gwybod pwy ydy'r perchennog?'

'Nac ydw, syr,' ac aeth y lein yn farw.

James oedd wedi trosglwyddo'r alwad a gwyddai'n iawn pwy oedd wedi ffonio. 'Moyn i fi ffono Sarjant Murphy?' holodd.

'Ddim eto,' atebodd Goss â gwên gellweirus wrth adael. Trodd yn ôl i ofyn, 'Esgusoda fy anwybodaeth, ond pwy *ydy* perchennog y maes carafannau yna yn y Berig?'

'Gruffudd ap Brân, syr.'

'*Y* Gruffudd ap Brân?'

'Ie, syr.'

'O,' a gadawodd Goss am ei gar. Taniodd sigarét ar y ffordd.

*   *   *

Mewn golau dydd, cafodd Goss well golwg o lawer ar y lle. Roedd yn faes carafannau llewyrchus, a lle i ddau gant o garfannau arno, yn ôl yr arwydd. Cawsai coed eu plannu'n ddethol o amgylch y safle rhwng y rhesi o garafannau. Roedd yno bwll nofio a sŵn chwerthin plant yn dod oddi yno. Gwelodd Goss hefyd gwrt tennis, maes chwarae, siop, siop tsips a bar llewyrchus yn ôl y gwaith adeiladu oedd yn digwydd yno. Roedd y lle'n creu rhyw argraff o gilfach gartrefol gyda'i fasgedi blodau. Roedd mynychwyr y maes i'w gweld yn ddigon sefydlog hefyd. Prin oedd y carafannau teithiol, ac roedd ôl garddio helaeth o amgylch sawl un o'r carafannau, fel petai'r perchnogion yn eu hystyried yn ail gartref iddynt. Roedd pobl yn sefyllian o amgylch y siop yn trafod.

Roedd tŷ traddodiadol, sylweddol yn edrych dros y cyfan, lôn hir yn arwain ato, a gardd fawr o'i gwmpas yn pwysleisio'i arwahanrwydd. Roedd yr olygfa i lawr at y môr yn drawiadol.

Bu Goss heibio i'r lle ambell waith o'r blaen ar ei deithiau ond heb gael achos i daro i mewn.

Yn wir, anaml iawn roedd yr heddlu angen taro i mewn yn swyddogol i'r Berig, oedd rhyw hanner milltir i lawr y ffordd o'r maes. Roedd cyfundrefn effeithiol iawn o stiwardio yn y maes parcio ar gyfer y traeth a glan y môr, a gofalwyr o bob math i sicrhau diogelwch y nofwyr a'r hwylwyr a heidiai yno yn yr haf. Cofiodd Goss am brynhawniau melys gyda'i deulu yn torheulo ar y traeth a lolian yn y môr pan oedd pethau'n dipyn fwy difyr, amser maith yn ôl. Rhoddodd yr atgof o'r neilltu wrth weld car heddlu ger y sgerbwd o garafán a welai yn y pellter. Parciodd gerllaw.

'Amser gwely, dwi'n meddwl,' cyfarchodd Murphy wrth gyrraedd.

'Be gythrel…?' meddai Murphy, yn deffro o drwmgwsg a sylweddoli ble roedd a phwy oedd yn ei gyfarch.

Aeth sylw crafog Goss ddim i lawr yn rhy dda gyda'r heddwas, ond ceisiodd wenu'n boléit.

'Adroddiad cyflym, ac mi gei di fynd ac fe gawn ni gau pen y mwdwl ar yr achos,' meddai Goss, ac eistedd wrth ochr Murphy yn y car.

'Iawn, bòs,' atebodd Murphy yn lluddedig.

'Pwy oedd o, o ble roedd o'n dod ac oedd rhywun efo fo? Ble roedd o cyn y ddamwain?'

'"O'dd" e, syr?'

'Ie. Neges gan Price yn dweud ei fod o wedi marw.'

'Enw – John Simpson, yn ôl y llyfr cofrestru. Wedi bod 'ma ers pythewnos. Yn dod o Solihull. Ar 'i ben 'i hunan. Cerddwr. Lico gwylio adar. Ddim yn cymysgu. Cwpwl o beints yn y clwb bob nos, ddim gormod. Yfed dipyn gormod neithiwr.'

'Cyfeiriad?'

'18 Hanna St. 'Na'r cwbwl sy yn y llyfyr. Heddlu yn Solihull yn edrych.'

'Be ma' pobl yn y carafannau eraill yn ei ddweud?'

'Cadw iddo'i hunan. Mas ran fwya o'r dydd. Dyn itha neis. Mynd off ar 'i feic a fel arfer 'nôl fin nos. Y beic tu ôl i'r garafán. Neb arall yn galw.'

'Car?'

'Na.'

'Dim car? Sut daeth o yma, sgwn i?'

'Ma' bysus i'r Berig, syr.'

'Sawl gwaith y mis?' oedd sylw coeglyd Goss.

Cododd Murphy ei ysgwyddau. 'Dyn tamed bach yn od, yn ôl pob sôn.'

'Mae pob siort,' meddai Goss yn feddylgar. 'Gyda llaw,'

ychwanegodd, 'be ddigwyddodd i'r gorchudd ddudes i ddylai fynd dros y cyfan?'

'Mr Whitaker wedi gweud bod dim angen un, syr,' meddai Murphy braidd yn nerfus.

'Gorchmynion oddi uchod, ie?' ymatebodd Goss yn fyfyriol. Daeth cnoc eitha pendant ar ffenest y car, a chododd Goss ei olygon i weld dyn golygus, talsyth yn sefyll gerllaw.

'Oes siawns i ni gael cliro'r annibendod hyn?'

Cododd Goss yn bwyllog o'r car. 'Efo pwy ydw i'n cael y fraint?'

'Carwyn ap Brân,' meddai'r gŵr trwsiadus. Roedd ganddo wyneb deallus ac roedd ei ymarweddiad yn hyderus, yn edrych yn syth i lygaid Goss. Roedd yn amlwg wedi arfer â phobl yn ufuddhau iddo'n ddiffwdan.

'Ga i gyflwyno fy hun? Inspector Arthur Goss, CID,' a chynigiodd gerdyn adnabod â gwên lydan. Derbyniodd y gŵr ifanc y cerdyn a'i archwilio, ac edrych eto ar Goss.

Roedd ymwelwyr yn y carafannau cyfagos wedi dechrau cymryd sylw ac ambell un wedi dod allan i weld oedd unrhyw beth o ddiddordeb yn digwydd.

'Ydy Lambert wedi dweud rhywbeth wrthoch chi, Sarjant Murphy?' holodd Goss a throi ei ben i lawr at Murphy yn y car, braidd yn ddiystyrlon o'r gŵr ifanc oedd yn anghyfforddus o agos ato.

'"*Open and shut* damwain," ddwedodd e wrtho i cyn gadel,' atebodd Murphy. 'Nwy, sigarét, bang!'

'Digon syml felly, syr?' holodd Goss. 'Mi ydw i wedi trefnu i lorri ddod i nôl y cyfan. Mi ddylai fod yma cyn bo hir. Popeth yn ei le. Popeth yn daclus. Peidiwch â phoeni, Mr . . . ap Brân, ie?'

'Ap Gruffudd, a bod yn fanwl gywir, ond ap Brân fyddwn ni'n ei ddefnyddio. Gorau po gynta bydd y lorri'n cyrraedd,' meddai'r gŵr, a chamu heb air pellach tua'r tŷ mawr uwchben y safle.

'A phwy oedd o?' holodd Goss.

'Un o'r ddau fab.'

'Meibion Gruffudd ap Brân?'

'Ie. Carwyn yw e, y brêns tu ôl i bethe rownd fan hyn, medden nhw. Rhedeg y fferyllfa lawr yn y Berig hefyd. Fe yw'r un neis. Gwrddes i â'i frawd e nithwr. Fe sy'n rhedeg y siop tsips.'

'Ddim mor neis?'

'Ddim mor neis. Ma' pobol yn gweud taw fe sy'n galw pan fo'r rhent yn hwyr. Dim lot o rent hwyr, o beth glywes i.'

'Yn y carafannau?'

'Ac yn y Berig. Y teulu sy bia hanner y lle nawr, o beth wy'n ddeall.'

'Ti'n gwybod lot am ar yr ardal.'

'*Contacts*, syr!' meddai Murphy, gan daro'i fys ar ochr ei drwyn yn wybodus. '*Inside information.*'

'Ie?'

'Plot 27. Dwy Miss Hobbs. Chwiorydd o'r Drenewydd. Mae'n syndod faint o wybodeth gewch chi dros baned o de a thamed bach o deisen.'

'Wedi siarad efo pawb arall?'

'Do, syr, neb yn gweud dim arwyddocaol. Un garafán yn wag nithwr. Gwyddelod yn gweithio ar y peilons letrig, glywes i. Honna fyn 'na a'r BMW du tu fas,' meddai Murphy heb edrych i'r cyfeiriad.

'Pa BMW du?' holodd Goss.

'O, ma' fe wedi mynd,' meddai Murphy gan droi i

gyfeiriad y garafàn nid nepell oddi wrthynt. 'Ta beth, odych chi wedi trefnu'r lorri?'

'Ddim eto,' atebodd Goss gan godi ei ffôn symudol. 'Bygar,' meddai wedyn.

'Beth, syr?'

'Dim signal.'

*   *   *

Roedd radio'r heddlu'n gweithio, o leiaf, ac arhosai Goss yn ddiamynedd wrth y garafán i'r lorri gyrraedd i gyrchu'r gweddillion. Roedd Murphy wedi cael ei ryddhau i fynd i'w wely.

Roedd yn fore braf, a thrigolion y maes yn hamddena wrth eu carafannau, yn amlwg yn trafod digwyddiadau'r noson cynt. Nid oedd Goss am fynd i'w holi ymhellach. Tybiai y byddai'r heddlu eisoes wedi cyflawni'r gwaith yn ddigonol. Da fyddai cau pen y mwdwl ar yr holl beth. Cael gwybod pwy oedd y dyn a fu farw, rhoi gwybod i'w deulu ac ysgrifennu adroddiad byr. Codi bwganod oedd o neithiwr, meddyliodd. Dydy dau a dau ddim bob amser yn gwneud pedwar fel y dylai, yn arbennig ar ôl peint neu ddau. Gwenodd at ei ddireidi ei hun yn corddi'r dyfroedd yn y Rotari neu pa glwb byddigions bynnag yr oedd wedi aflonyddu arno ddigon i warantu galwad bersonol gan Whitaker. Crwydrodd o amgylch sgerbwd y garafán. Roedd y staen olew ar yr adlen yn amlycach yng ngolau dydd. Gallai unrhyw un, gan gynnwys y perchennog, fod wedi gwneud y sip yn haws i'w agor, meddyliodd. Teimlodd y sip, a oedd bellach yn sych. Trodd i edrych am yr ôl esgid Nike. Roedd hwnnw wedi diflannu hefyd. Roedd chwilen fechan yn dal i gorddi'n rhywle yn ei ben.

'Helô, mistar.' Daeth llais ifanc o'r tu ôl iddo. 'Copar dach chi?' holodd y llais wedyn. Trodd Goss a gweld bachgen ifanc tua deg oed â gwallt coch ac wyneb direidus, yn sefyll gerllaw ar gefn ei feic.

'Ie. Pwy sy'n gofyn?'

'Chi'n nabod y boi 'na?' holodd y bachgen eto, ag acen Bangor drom.

'Na, wyt ti?'

'Ydw, dwi'n nabod o. Lot o bobol yn meddwl ei fod o'n *weirdo*. Ond dwi ddim. Sut mae o?'

'Ddim yn dda iawn,' atebodd Goss.

'Roedd pobol yn 'i alw fo'n John, ond dwi'n gwbod 'na ddim hwnna oedd 'i enw iawn o.'

'Sut wyt ti'n gwybod?'

''Chos mi es i â'i fobeil o i'r cae top i anfon neges iddo fo. Mae 'na signal yn fan 'no.'

'A . . .?'

'Be?'

'Be oedd ei enw fo?'

'Dwn i'm ddylwn i ddeud wrthoch chi.'

'Pam lai?'

'Sut dwi'n gwbod bo' chi'n gopar go iawn a ddim yn riportar neu'n *private eye* neu rwbath?'

'Ti'n gwylio gormod o deledu, washi,' meddai Goss wrth edrych am ei gerdyn adnabod. 'Hapus rŵan?' meddai wedyn wrth ei ddangos i'r bachgen. Roedd strydoedd Bangor yn amlwg wedi rhoi addysg drylwyr iddo.

'Ocê. Gordon oedd ei enw fo.'

'Gordon be?'

'Dwn i'm. Welish i'r enw Gordon ar ddiwadd y neges.'

'Be oedd y neges yn 'i ddweud?'

'Wel, mi oedd hynny'n breifat, yn doedd o?'

'Dwi'n gwybod, ond o dan yr amgylchiadau . . .'

'Iawn, ond newch chi ddim deud wrth neb 'mod i 'di deud, na wnewch chi? Ddim hyd yn oed wrth John?'

'Gair copar!' meddai Goss a hanner saliwtio'r plentyn.

'Rhywbeth am *soon* a *be patient*. Dyna'r cwbwl dwi'n gofio.'

'Pryd oedd hynny?'

'Bora ddoe.'

'Ddudest ti wrth y polîs am hyn neithiwr?'

'Naddo.'

'Pam?'

'Ddaru nhw'm gofyn.'

'Pam wyt ti'n dweud wrtha i, 'te?'

'Angan deud wrth rywun, yn does, rhag ofn bo' rhywun wedi bympio fo off.' Cododd ei droed at bedal ei feic yn barod i adael.

'Hei, ddudest ti mo dy enw.'

'Charlie.'

'Gwranda, Charlie. Wyt ti'n mynd i ddweud wrth unrhyw un bo' ti wedi siarad efo fi?'

'Mi fasa Dad yn hannar 'yn lladd i 'sa fo'n gwbod 'mod i 'di siarad hefo'r glas.'

'Lle mae dy dad?'

'Yn Walton,' a diflannodd ar hyd y ffordd i ganol y carafannau.

Cyrhaeddodd Price yr eiliad honno.

'Dyma ble ry'ch chi,' meddai wrth stopio'r car o flaen Goss. Parhaodd Goss i edrych yn fyfyrgar ar ôl y bachgen.

'*Stating the bleedin' obvious*, dyna'n greddf ni fel heddweision, yntê Price?'

'Ffaelu'ch ca'l chi ar y mobeil, syr. Meddwl taw fan hyn fyddech chi.'

38

'Wel?'

'"Wel", syr?'

'Y dyn yna.'

'O, ie. Sdim sôn am John Simpson o Hanna Street yn Solihull. Sdim sôn am Hanna Street o ran hynny.'

'Dwi'n gwbod,' meddai Goss yn hunanfodlon.

'Shwt 'ny?'

'*Psychic*, Price,' cellweiriodd Goss. Difrifolodd wedyn. 'Piti 'i fod o wedi marw.'

'Ie, syr. Fe gethoch chi'r tecst 'te.'

'Do. Dwi ddim yn hollol dwp efo technoleg fodern, wsti! Mi fase'i stori o wedi bod yn eitha diddorol, dybiwn i. Oedd ganddo fo rywbeth defnyddiol i'w ddweud?'

'Sai'n siŵr, syr.'

'Wel, mi gei di ddweud yr hanes i gyd wrtha i wedyn.' Roedd y lorri i gludo gweddillion y garafán wedi cyrraedd.

'Gwnewch yn siŵr eich bod chi'n mynd â phob dim,' meddai Goss wrth y gyrrwr a'i gyd-weithiwr. 'Price, mae'n amlwg nad ydy bechgyn SOCO'n meddwl ei bod hi'n werth dod yma, felly well i ti aros i wneud yn siŵr eu bod nhw'n gwneud eu gwaith yn iawn. Mi ydw i isio i bopeth fynd i'r warws. "*Open and shut case*", myn yffern i!'

Sylwodd Goss ddim ar y Mercedes 4x4 yn ymlwybro'n raddol tuag atyn nhw tan i Price fwmial, 'Ma'r boneddigion yn dod.'

Arhosodd y cerbyd ac agorodd y ffenest drydan dywyll i ddangos wyneb mawr ar ben corff praff dyn yn ei saithdegau. 'Mr ap Brân, dwi'n cymryd?' meddai Goss, gan feddwl na fu enw mwy addas erioed i berson â thrwyn mor debyg i big yr aderyn.

'Ap mae pawb yn fy ngalw i, a sdim angen y "Mr" Seisnig yna chwaith.' Roedd y llais yn gryf ac yn llawn urddas a hunanhyder. 'Popeth yn mynd yn iawn? Popeth yn iawn gyda'r gwersyllwr?'

'Ydy a nac ydy,' atebodd Goss.

Crychodd yr wyneb, ac roedd osgo'r pen yn awgrymu bod angen eglurhad pellach.

'Popeth yn iawn yma. Jest wrthi'n tacluso. Y "gwersyllwr" wedi ein gadael, mae gen i ofn.'

'Trueni. Trueni mawr. Dyn mor neis. Mi fyddwn ni'n anfon gair o gydymdeimlad at ei deulu, wrth gwrs.'

'Wrth gwrs. Ond i ble byddwch chi'n ei anfon?'

'Mae ei gyfeiriad yn y gofrestr.'

'Falle ddim.'

'Falle ddim?'

'Does dim cofnod o Mr John Simpson o Solihull – yn y cyfeiriad yna, beth bynnag.'

'Tipyn o ddirgelwch, 'te. Dwi'n siŵr dewch chi i ben â phethau. Os oes angen unrhyw gymorth arnoch, cysylltwch â Gruffudd ap Brân â chroeso. Mae'r Prif Gwnstabl yn gwybod y rhif. Oes angen i fi aros?'

'Ddim ar hyn o bryd, diolch. Falle y byddwn ni mewn cysylltiad yn nes ymlaen.'

'Iawn. Fe alla i fynd a gadael y cyfan i chi 'te. Trueni, trueni mawr.' Gwasgodd sbardun y peiriant a bachodd y gyriant awtomatig, a gadael y ddau blisman wrth y garafán losg yn y cwmwl o lwch a adawyd gan olwynion y Mercedes.

Ar ôl i'r drafodaeth ddod i ben, daeth y ddau ddyn allan o'r lorri. 'Reit, ble chi moyn i ni fynd â'r lot hyn, 'te?' meddai'r gyrrwr wrth sefyll o flaen y garafán.

'I'r warws.'

'Y warws fforensig?' holodd y gyrrwr.

'Ie. Well i chi dacluso gweddill y stwff hefyd, neu mi

gawn ni dafod am adael llanast! Swyddfa mewn awr, Price, i mi gael yr hanes i gyd.'

Prysurodd y ddau ddyn at eu gwaith a llusgo'r garafán yn ddiseremoni i gefn y lorri, casglu gweddill y geriach oedd ar y llawr a'i roi mewn bocsys a hel tranglins yr heddlu, gan adael dim ond llecyn moel o dir lle bu'r garafán gynt.

Gwyliodd Price y lorri'n ymadael. Aeth yn lluddedig at ei gar. Roedd diffyg cwsg yn dechrau dweud arno.

Pennod 3

Roedd y ddesg yn gymharol glir ac roedd gweld ei phren glân yn bleser pan ddychwelodd Arthur ati ddiwedd y bore, er bod adroddiadau a chopïau papur ambell e-bost oedd wedi eu gosod yn benodol yn ei chanol yn amharu ar y taclusrwydd a ddeilliodd o'i ddycnwch y noson cynt.

'Blydi e-bost ddiawl!' meddai'n dawel wrth godi'r cyntaf, a soniai am 'adleoli cofnodion yr adran fforensig i swyddfeydd newydd'. 'Pwy gythraul sy am wybod hynny?' ychwanegodd wedyn.

Doedd Arthur Goss ddim eisiau cael ei lusgo i'r oes gyfrifiadurol. Roedd wedi brwydro yn erbyn cael cyfrifiadur ar ei ddesg, ond collodd y frwydr honno. Cafodd gliniadur hefyd. Meistrolodd ddigon ar y peiriant ond ddim gormod. Roedd yn dal i ymhyfrydu yn ei statws o ddeinosor. Byddai ymateb nawddoglyd ei gyd-weithwyr iau bob amser yn ei ddifyrru. Ei safiad olaf yn erbyn y llif oedd gwrthod argraffu dim. Yn sgil y penderfyniad hwnnw, byddai toreth o bapur yn glanio'n ddyddiol ar ei ddesg, wedi ei argraffu gan bwy bynnag oedd ar ddyletswydd yn y swyddfa flaen. Taflai Goss y rhan fwyaf o'r dogfennau'n ddiseremoni i'r bin ailgylchu. 'Os oes rhywbeth yn ddigon pwysig, mi fyddan nhw'n ffonio,' fyddai ei ymateb i unrhyw sylw am ei ddifaterwch. Lluchiodd y pecyn gwybodaeth am yr uned fforensig. Dim ond un darn o bapur oedd ar ôl, a hwnnw wedi ei osod ar wahân.

Darllenodd Goss: *'Initial findings: quite straight-forward. Death by misadventure. Stove tap on. Ignition of gas in caravan due to factors unknown.* Dim byd yn werth corddi'r dyfroedd. Lambert.'

Edrychodd eto ar y llestr bychan dal cannwyll ar ei ddesg.

Cododd y ffôn. 'James, ty'd i mewn am funud, wnei di?' ac eisteddodd yn ôl a'r llestr o'i flaen. Daeth James i mewn.

'Ie, syr?'

'Ti'n dipyn o foi cwisys, yn dwyt ti?'

'Wel, wy'n lico meddwl bo' fi.'

'Ateb y cwestiwn yma i mi, 'te.'

'*Fire away*, syr.'

'Ydy'r nwy mewn carafannau'n drymach nag aer?'

'Pwy nwy, syr? *Butane* neu *propane*?'

'Wn i ddim. Y ddau.'

'Erbyn pryd, syr?'

'Ddoe.'

'Iawn, syr,' a diflannodd trwy'r drws.

Dychwelodd o fewn pum munud. 'Y ddau, syr.'

'Y ddau yn be?'

'Yn drymach nag aer. Ma' *butane* ddwywaith trymach a *propane* unwaith a hanner yn drymach nag aer.'

'Sut aflwydd ddoist ti o hyd i hynny mor sydyn?'

'Chi'n gwbod y we, y peth yna chi ddim yn moyn 'i ddefnyddio . . .?'

'Ocê, ocê. Felly os ydw i am chwythu carafán i fyny, mi allwn i agor tap y nwy, rhoi cannwyll ar y llawr, mi fyddai'r nwy yn cyrraedd y gannwyll yn y diwedd ac yn gwneud i'r cyfan fynd "pop", yn base fo?'

'Bydde, am wn i, syr.'

'Fase'r we'n gallu dweud hynny wrthon ni, James?' meddai Goss a gwên gellweirus ar ei wyneb.

'Digon posib, syr – 'sech chi'n synnu.'

Gyda hynny daeth cnoc ar y drws. Trodd James i'w agor a gweld Price yn sefyll yno'n amlwg yn gwrando am y gorchymyn i ddod i mewn.

'Wel, helô, Price bach – mewn *civvies* bore 'ma?'

'O!' meddai'r dyn ifanc yn nerfus. 'Wedi cael transffer, syr. Wedi bod adre i newid.'

'Transffer? Ddwedaist ti ddim byd bore 'ma. Transffer i ble?'

'CID, syr. Fan hyn, syr.'

'Dduw mawr, mi fydd lladron y fro yn crynu. Well i ti ddod i mewn 'te, i lle mae'r gwaith go iawn yn digwydd. Does ganddon ni ddim amser i chwarae ar y we yn CID, cofia. Diolch, Sarjant James.' Gadawodd James gan grechwenu.

'Wy fod i witho 'da chi, syr, am gyfnod o *induction*, medden nhw.'

'*Induction*, myn diawl! A phwy yden "nhw"?'

'Wel, y nhw, y bobol sy'n delio â'r pethe 'ma.'

'Biti na wnaethon "nhw" roi gwybod i mi bod Stirling Moss yn dod i weithio efo fi. Be sy gen ti yn y bag yna?'

'Dillad y dyn fuodd farw.'

'Well i ti eistedd a dweud yr hanes i gyd wrtha i, fel 'dan ni'n ei ddweud yn CID,' meddai Goss yn ffug-dadol goeglyd. 'Oedd y nyrsys i gyd yn neis efo ti?'

*   *   *

'"Penny-gas"? Ti'n siŵr mai dyna ddudodd o?'

'O beth allwn i 'i glywed. Do'dd e ddim yn siarad yn eglur iawn. Rhywbeth i neud â'r nwy? Odych chi'n gwbod pwy o'dd e erbyn hyn?' ychwanegodd Price.

'Ddim eto,' atebodd Goss yn fyfyriol. 'Does 'na'm

cofnod o John Simpson yn y cyfeiriad roddodd o yn y maes carafannau,' meddai wrth droi at y ffenest. 'Dim syndod mewn gwirionedd, gan mai Gordon oedd ei enw cyntaf go iawn. Tipyn o ddirgelwch, 'de?' meddai'n sydyn a throi'n ôl at Price. 'Rhywbeth i ti gael dy ddannedd ynddo ar dy ddiwrnod cyntaf yn CID. Well i ni gael golwg ar be sy gen ti yn y bag yna.'

'Siwd y'ch chi'n gwbod taw Gordon o'dd 'i enw fe, syr?'

'Gwaith ditectif, Price. Gwaith ditectif!'

Doedd dim byd annisgwyl yn y bag. Gweddillion crys, siaced, trowsus, sanau, trôns ac esgidiau. Popeth ac ôl llosgi arno. Chwiliodd Goss ym mhocedi'r trowsus. Roedd tipyn o arian mân a phapur pumpunt oedd bellach yn frown yn un o'r pocedi. Ychydig iawn o gefn y siaced oedd yn weddill ond roedd y tu blaen bron yn gyfan. Dim waled, dim trwydded yrru, dim ffôn, dim ond bil o B&Q yn West Bromwich.

'Dim lot o help i ni, syr.'

'Ddim lot o gwbwl. Yn dydy hynna'n od? Dim cliws o gwbwl. Mi yden ni i gyd yn cario rhywbeth amgenach na bil o B&Q i ddweud pwy yden ni, ond doedd gan y creadur yma ddim byd. Diddorol 'de, Price bach?'

'Diddorol iawn, syr.'

'Ti'n gwybod be arall sy'n ddiddorol?'

'Beth, syr?'

'Ei fod o'n eu gwisgo nhw o gwbwl. Mi ydw i wedi mynd dros ben llestri ar ôl cael peint neu ddau yn ormod, ond mi ydw i fel arfer yn tynnu 'nghôt a 'nillad cyn i mi orwedd a chysgu. Wnaeth hwn ddim, ac yn fwy na hynny, nid dillad dyn sy'n debyg o fynd dros ben llestri ydy'r rhain. Siaced o frethyn da, trowsus melfaréd, esgidiau cryf. Faint oedd ei oed o?'

'Pedwardege hwyr, wedwn i.'

'Yn union. Dosbarth canol, eitha parchus.'

'Duw, chi'n gweld pethe, on'd y'ch chi, syr?'

'Elementary, my dear Price. Elementary,' meddai Goss yn ffug-orchestol. 'Dwi'n meddwl y basa hi'n syniad i ti gael gair efo'n cyfeillion yn yr heddlu tua West Bromwich 'na. Mi yden ni'n gwybod ei fod o yno ar y pymthegfed o Orffennaf o'r bil B&Q. Falle fod ganddyn nhw wybodaeth amdano fo.'

'Pa fath o wybodaeth, syr?'

'Rhywun sy wedi diflannu neu sy wedi dianc – rhywun nad oedd am gael ei ddarganfod? Dyna be ydy bod yn dditectif, Price bach. Allan i'r maes, fachgen ifanc – i'r priffyrdd a'r caeau â ti!'

'Ond do's dim lot iddyn nhw witho 'da fe, o's e? Allwn ni ddim iwso pethe fel DNA a chofnodion dannedd i'n helpu ni?'

'Dim ond cadarnhau pwy oedd o mae'r rheini'n ei wneud. 'Dan ni angen darlun o'i fywyd a'i arferion a'r rheswm pam wnaeth o roi enw a chyfeiriad ffug yn llyfr y maes carafannau i gychwyn arni,' meddai Goss yn ddiamynedd.

'O,' meddai Price braidd yn wylaidd.

'Yr unig beth sy gynnon ni ydy ei enw cyntaf a'i wyneb o, ac o be gofia i, doedd hwnnw ddim yn rhy hawdd i'w adnabod ar ôl y ffrwydrad. Mi fyddai cael llun gwell ohono fo rywsut yn syniad. Mae cyfrifiaduron yn medru gwneud pethe felly, glywais i. Ble mae'r corff erbyn hyn?'

'Yn dal yn yr ysbyty'n aros am post mortem.'

'Dwed wrthyn nhw am aros amdanon ni cyn dechrau. Wna i dy gyfarfod di yno mewn rhyw ddwy awr.'

'Yn y post mortem?'

'Ydy hynny'n broblem?'

'Nac ydy, syr,' atebodd Price yn betrus.

'Dwi'n mynd i gael golwg ar y garafán yna,' meddai Goss, a chodi i adael.

'O, un cwestiwn cyn i chi fynd, syr,' meddai Price wrth fynd trwy'r drws.

'Ie?'

'Pwy yw Stirling Moss?' Caeodd Goss y drws ar ei ôl heb ateb. Rhoddodd y dillad yn ôl yn y bag plastig a'u gadael wrth ochr y cwpwrdd ffeilio. Gallai drefnu eu hanfon i'r storfa pan ddychwelai.

*   *   *

Gwasgodd swyddog y warws y swits ar y wal, a goleuwyd ehangder yr ystafell yn raddol wrth i bob stribed gynnau nes cyrraedd y pen pellaf, lle roedd y garafán. Doedd fawr ddim arall yno, dim ond dau gar rhacs gyferbyn â hi.

'Ydy hon yn mynd i fod yma'n hir?' holodd y swyddog.

'Pam? Oes gynnoch chi angen ei lle hi?' holodd Goss gan edrych yn fwriadol ar y gwacter o'i gwmpas wrth iddo gerdded at y garafán.

'Chi byth yn gwybod. Mae pethe'n digwydd,' meddai'r swyddog yn amddiffynnol. 'Mae popeth oedd ynddi ac o'i chwmpas hi yn y maes carafannau yn y bocsys 'na.' Pwyntiodd at dri bocs cardbord ger sgerbwd y garafán. Roedd ysgrifen daclus wedi eu labelu fel 'Inside articles', 'Outside articles' a 'Food etc.' Roedd yr adlen a'r llawr plastig wedi eu gosod yn swp wrth eu hochr.

'Diolch,' meddai Goss. 'Ydy'r botel nwy yna?'

'Ydy, 'sen i'n meddwl. Edrychwch yn y cwpwrdd sy ar flaen y garafán. Mae hwnna'n dal yn un darn.'

Camodd Goss at y cwpwrdd a'i agor yn ofalus i osgoi'r parddu. Roedd y botel yn gyfan. Roedd y tap i ryddhau'r nwy ar gau.

'Mi fydde bois y frigâd dân wedi cau hwnna, sbo.' Daeth llais y swyddog o'r tu ôl iddo.

'Be ydy rhif y garafán?' holodd Goss.

'Dim un arni,' atebodd y swyddog.

'Od,' meddai Goss.

'Ddim felly, os oedd y garafán wedi ei llogi. Y cyfan sy angen wedyn yw clipio'r rhif sy'n cyfateb i rif y car ar ei chefn. Beth oedd rhif y car?'

'Does dim car.'

'Od,' ymatebodd y swyddog.

'Wnewch chi agor hwnna i mi?' gan gyfeirio at lawr plastig yr adlen.

Agorodd y swyddog e'n ofalus a chraffodd Goss arno i chwilio am ôl esgid. Ni welodd yr un.

'Wna i'ch gadael chi i'r gwaith ditectif tra 'mod i'n gwneud y gwaith gweinyddol, 'te,' meddai'r swyddog gan droi i gyfeiriad ei swyddfa yng nghornel y warws.

'Iawn,' meddai Goss, a chraffu i mewn i gwpwrdd y poteli nwy. Roedd y ddwy botel yn gyfan a'r enw Nu-Gas a'r geiriau 'Butane – handle with care' yn eglur ar eu hochrau.

Wrth iddo gerdded o amgylch y garafán gallai weld bod dau nobyn y stof yn pwyntio i gyfeiriad agored er bod y plastig wedi llosgi cryn dipyn. Roedd y llawr yn ddu, a'r rhan fwyaf o gypyrddau a dodrefn y garafán wedi eu llosgi bron yn ulw hefyd. Roedd hi'n syndod fod digon o eiddo'r dyn wedi goroesi i lenwi tri bocs.

Dychwelodd y swyddog â chlipfwrdd yn ei law a dechrau gwagio'r bocsys ar ddarn o bolythen ar y llawr. Gwyliodd Goss ef. Roedd dillad y gwersyllwr yn amlwg wedi cael eu plygu'n ofalus cyn iddynt gael eu taflu'n ddigon diseremoni i'r bocsys, a'r sanau wedi eu torchi'n beli. Nid dyn diofal o'i hun fu hwn. Neu roedd rhywun yn gofalu amdano. Roedd ei grysau'n rhai safonol, eithaf ceidwadol eu naws. 'Oes pâr o esgidiau Nike yn un o'r bocsys yna?' holodd.

'Reeboks, ond ddim Nikes,' atebodd y swyddog, yn prysur gofnodi'r eiddo. Plygodd a chodi pâr o drenyrs brown ac ôl llosgi arnynt.

'Oes 'na ffôn?'

'Ddim hyd y gwela i.'

'Camera?'

'Na.'

'Waled?'

'Na. Fe fydd rhestr gynhwysfawr, syr,' meddai'r swyddog yn ddiamynedd.

'Os dewch chi ar draws rywbeth sy'n dweud pwy oedd o, rhowch wybod i mi.' meddai Goss wrth gerdded tuag at ddrws y warws.

'Iawn, syr,' meddai'r swyddog a throi'n ôl at ei waith a golwg o ryddhad ar ei wyneb.

*   *   *

Roedd Goss yn gyfarwydd â'r arogl fformaldehyd a ddaeth i'w ffroenau wrth iddo gamu drwy ddrysau plastig y mortiwari. Roedd y patholegydd yn amlwg yn gorffen ei waith, a'i gyd-weithiwr yn sychu'r bwrdd o amgylch y corff.

'Wedi dechrau hebdda i, Mr Pugh?' holodd Goss.

'Mae gen i gyfarfod yng Nghaerfyrddin am dri ac rwy'n siŵr nad oeddech chi moyn gweld y perfeddion i gyd.'

'Wedi hen arfer, Mr Pugh, wedi hen arfer.'

'Beth bynnag, fyddai Mr Whitaker ddim am i mi fod yn hwyr. Mi ges i air gyda fe. "Press on" oedd ei eiriau e, a dyna wnes i.'

Daeth Price i mewn drwy'r drws a stopio yn ei unfan wrth weld y corff o'i flaen. Llyncodd i'w arbed ei hun rhag ailadrodd embaras y noson cynt a dangos ei frecwast i bawb. Gwenodd Goss.

'Unrhyw lwc, Price?' gofynnodd.

'Dim, syr. Ambell enw, ond neb yn cyfateb i'n disgrifiad ni.'

'Falle cawn ni fwy o wybodaeth heddiw. Felly be fedrwch chi ddweud wrtha i?' meddai a throi at Mr Pugh.

'Dyn pum troedfedd, wyth modfedd. Tua pedwar deg wyth oed. Yn sylfaenol eithaf iach. Yn dioddef o *piles* ac *athlete's foot* ond dim arall yn amlwg. Wedi torri pont ei ysgwydd wrth gwympo a niweidio'i benglog. Dim gwaedu i'r ymennydd,' ychwanegodd, gan gyfeirio at y benglog agored a'r ymennydd i'w gweld yn glir.

Gwelodd Goss Price yn gwelwi, ond daliodd y plismon ifanc ei dir.

Aeth Mr Pugh yn ei flaen: 'Peth effaith mwg yn ei ysgyfaint, ond ddim digon i'w ladd. Achos y farwolaeth – llosgiadau enbyd dros tua wyth deg y cant o'i gorff. Anaml mae pobl yn goroesi os bydd canran o losgiadau mor uchel. Mi fydd adroddiad ar gynnwys ei stumog a chanlyniadau fforensig ar ei waed e gyda chi erbyn yfory.'

'Be oedd yn ei stumog?' holodd Goss.

'Cwrw a tsips, o beth allwn i weld ar yr olwg gyntaf, ond fe fydd y cyfan yn yr adroddiad, Mr Goss.'

Edrychodd Goss yn hir ar wyneb y corff. Anodd fyddai i berthynas ei adnabod. Dyn di-wyneb, anhysbys, marw. Sgwn i be oeddet ti'n ei wneud yn y Berig, Gordon? meddyliodd.

'Well i ni ei throi hi a gadael i Mr Pugh orffen,' meddai, er mawr rhyddhad i Price.

'Oes ganddoch chi lun o'i wyneb o cyn i chi ddechrau torri?'

'Wrth gwrs – mi fyddwn ni wedi e-bostio'r llun atoch chi erbyn y prynhawn yma. Ddim yn llawer o help, gredwn i.'

'Cofiwch fi at Mr Whitaker,' meddai Goss wrth iddo adael.

'Adroddiad yn y bore, Mr Goss,' meddai Mr Pugh ar ei ôl wrth i'r ddau ddiflannu drwy'r drysau plastig.

'Lluniau trwy e-bost, be nesa, dwed?' meddai wrth Price wedi i'r drysau gau ar eu hôl. Ond roedd Price eisoes wedi troi i gyfeiriad y tai bach.

Gwenodd Goss. 'Croeso i CID,' meddai'n dawel.

*   *   *

Roedd tipyn mwy o liw yn ei fochau pan ymunodd Price ag ef yn y car y tu allan i'r ysbyty.

'Well rŵan?' holodd Goss yn atsain o'r noson cynt.

'Odw, sori, syr.'

'Fe ddoi di,' meddai Goss. 'Bydd raid i ti. Reit, be sy gynnon ni?'

'Ddim lot, hyd y gwela i,' atebodd Price.

'Nac oes, ond mae'r hyn *sy* ganddon ni'n ofnadwy o ddiddorol, yn dydy o?' meddai Goss wrth agor pecyn o frechdanau cig moch. 'Awydd un, Price?'

'Dim diolch, syr,' atebodd y cwnstabl.

'Well i ti gael rhyw awr neu ddwy o gwsg, dwi'n meddwl. Mi oedd hi'n noson hir neithiwr. Ryden ni'n dau'n mynd allan i gael peint a tsips heno.'

'Ga i ofyn i ble, syr?'

'Maes Carafannau'r Berig, wrth gwrs. Rŵan cer, mae gen i apwyntiad pwysig yn y *launderette*. Paid â gofyn! Saith o'r gloch yn y stesion.'

'Iawn, syr,' atebodd Price a dringo allan o'r car.

Pennod 4

Doedd y profiad yn y *launderette* ddim wedi bod yn un pleserus. Doedd y ffaith bod gwraig dyn a arestiwyd gan Goss ac a anfonwyd i garchar Abertawe am gyfnod wedi dod i gydolchi ag ef ddim wedi bod yn help i ddod â blas i'r achlysur chwaith. Eto, roedd wedi dod i fwynhau ffresni crysau a dillad isaf glân yn fwy pan mai ef oedd wedi'u golchi.

Roedd bywyd, felly, ychydig yn well i Arthur Goss pan gwrddodd â Price yn y swyddfa.

'Ty'd,' meddai wrth yr heddwas ifanc. 'Gysgaist ti'n iawn?'

'Naddo, syr.'

'Pam?'

'Meddwl am yr achos 'ma.'

'Mi gawn ni siarad yn y car,' meddai Goss wrth arwain Price i'r maes parcio.

*   *   *

'Chi ddim yn meddwl taw damwain o'dd hi, 'te?' meddai Price wrth iddyn nhw barcio ym Maes Carafannau'r Berig.

'Falle ddim. Dim ond falle.'

'Beth 'te?'

'Dim ond dau beth arall sy'n bosib.'

'*Suicide* a *homicide*,' meddai Price yn wybodus wrth basio pic-yp 4x4 newydd oedd wedi ei barcio'r tu allan i'r bar.

'Ti'n gwylio gormod o deledu,' meddai Goss a chamu allan o'r car. 'Peint, dwi'n meddwl. Wel, peint i mi, rwyt ti'n dreifio,' a cherddodd y ddau trwy ddrws y bar bychan oedd yn rhan o glwstwr o gyfleusterau ar sgwâr bychan ar gyrion y maes carafannau.

'Croeso i'r Gilfan' oedd y geiriau uwchben y bar. Pwysodd y ddau yn ei erbyn. Roedd cwpwl eithaf ifanc yn siarad yn ddwys mewn cornel, a dyn yn ei dridegau'n llwytho arian i mewn i'r bandit gerllaw.

'Ddim lot i mewn,' meddai Goss wrth y gŵr ifanc hawddgar yr olwg a ddaeth i weini.

'Nos Lun bob amser yn dawel. Mi fydd hi'n brysurach mewn rhyw awr,' atebodd y gŵr ifanc. 'Alla i'ch helpu chi?'

'Peint o hwnna i mi,' meddai Goss wrth gyfeirio at y pwmp a label Cwrw Cardi arno. 'Be amdanat ti, Price?' holodd.

'Lemonêd, syr,' atebodd Price. Roedd y gŵr ifanc wedi sylwi ar y 'syr'.

'Ti'n gweithio bob nos?' holodd Goss.

'Na, yn ystod y dydd fydda i'n gweithio fel arfer, *maintenance*, torri'r glaswellt, pethe felly. Tipyn bach o *overtime* yn y bar yn gwneud dim drwg, ch'wel.'

'Yma am yr haf i gyd?'

'Ydw, tan i mi fynd yn ôl i'r coleg mis nesa.'

'Dim gwyliau?'

'Dim arian,' atebodd y gŵr ifanc

'O, falle ddylwn i gyflwyno fy hun. Inspector Goss ydw i a dyma Cwnstabl Price.'

'O,' oedd unig ymateb y gŵr, a daliodd ati i ganol-bwyntio ar dynnu'r peint.

'Oeddet ti'n gweithio neithiwr?'

'Nag o'n, diolch byth, ond wy wedi clywed yr hanes i gyd.'

'Pwy oedd yn gweithio?' holodd Goss.

Trodd y barman a cherdded at dabl ar y wal y tu ôl i ben pellaf y bar.

'Llinos a Gerwyn, Inspector,' meddai wrth gerdded yn ôl.

'Ydy Gerwyn o gwmpas ar hyn o bryd?'

'Ma' fe yn y siop sglods dros y ffordd, dybiwn i.'

'Wsti,' meddai Goss yn gyfeillgar, ''dan ni'n dal ddim yn gwybod pwy oedd y dyn fu farw. Rêl *man of mystery.* Oeddet ti'n ei nabod o?'

'Ddim yn dda. Roedd e'n eistedd ar y stôl yna y'ch chi'n eistedd arni ac yn darllen 'i bapur. Yn cadw iddo'i hun.'

'Pa bapur?'

'Y *Guardian.*'

'Dyna'n union y fath o wybodaeth 'dan ni ei hangen. Pwy sy'n dweud nad ydy pobol ifanc yn sylwi ar bethau?' meddai Goss yn hwyliog wrth Price. 'Yfed lot?' holodd wedyn.

'Pwy, fi neu fe?' atebodd y barman â gwên. 'Na, ddim fel 'ny, dou beint a gadel, wisgi weithie.'

'Ddim yn alci 'te?'

'Ddim o beth weles i, ond do's dim dal, nag o's e?'

'Smocio?'

'Oedd. Rholio nhw 'i hunan. Roedd e'n gadael 'i faco ar y bar ac yn mynd mas am fwgyn yn itha amal.'

'Sut acen oedd ganddo fo?'

'Birmingham neu rywle, anodd dweud. Siarades i ddim ryw lawer 'da fe. Allwch chi ddim dysgu lot o: "*Can I have a pint please?*" Falle fod Elystan yn gwbod mwy,' ychwanegodd, gan gyfeirio at ŵr y peiriant.

Gwenodd Goss. 'Diolch,' meddai a mynd â'i beint am dro at y bandit, lle safai'r gŵr yn rhythu ar y barilau'n troi ac yn gwasgu'r botymau'n ffyrnig.

'Sut wyt ti erstalwm, Elystan? Yn cadw ar y llwybr cul o hyd?' meddai Goss, gan roi ei fraich dros y peiriant ac edrych dros y sgrin at y gŵr. 'Pethe'n eithaf llewyrchus arnat ti? Ffôr bai ffôr newydd neis gen ti.'

'O's, Mr Goss, wy'n gwitho'n galed, ch'weld, a ro'dd hynny bymtheg mlynedd yn ôl. Smo chi 'di anghofio byth?'

'Copars ac eliffantod – traed mawr, coeau hir. Rŵan, be wyddost ti am y carafaniwr gafodd ei ladd yma neithiwr?'

''I *ladd*? Smo fi'n gwpod dim, Mr Goss.'

'Ddim yn "gwpod". Ddim fatha ti i beidio "gwpod". Oeddet ti yma neithiwr?'

'O'n. Fi a lot o bobol erill.'

'Oedd y dyn yma?'

'O'dd.'

'Oedd o'n yfed lot?'

'Sylwes i ddim. O'dd lot o bobol erill 'ma, fel wedes i. Ar y bandit fues i lot o'r nos, ac o'dd bois y darts 'ma 'fyd.'

'Ti'n help mawr, Elystan, wsti, yn help mawr. Ble wyt ti'n gweithio rŵan?'

'Yn Teiars Glan y Môr.'

'Cadw dy drwyn yn lân?'

'Odw, Mr Goss.'

'Olwynion newydd neis tu allan.'

'Busnes yn dda, Mr Goss.'

'Teiars?'

'Teiars a chimwch. Y pysgota'n dda, Mr Goss.'

'Ddim wedi ennill y jacpot na dim byd felly?' meddai Goss gan dapio sgrin y bandit tra chwaraeai Elystan.

'Ha ha.' Doedd dim hiwmor yn y llais.

'Cadw di at y llwybr cul yna.'

'Dim problem, Mr Goss. Dim problem o gwbwl,' a pharhaodd i rythu ar farilau'r peiriant.

'Tsips?' awgrymodd Goss wrth Price. Drachtiodd weddill ei beint a throi tua'r drws. Dilynodd Price yn ufudd a diolch i'r barman. Croesodd y ddau ar draws y buarth i'r Sglodfa.

Cododd Elystan ddau fys dichellgar ar eu holau wrth iddynt ymadael.

'Sglodfa. Enw go dda,' meddai Goss wrth Price y tu allan i'r siop. Doedd Price ddim yn siŵr ai cellwair oedd e. 'Dywed i mi, fel un sy'n gwybod am y pethe 'ma, Adidas ydy'r trenyrs â thair streipen i lawr yr ochr, yntê?'

'Ie, syr.'

'Iawn.'

*　　　*　　　*

Dim ond un fenyw oedd yn y ciw ac arhosodd y ddau yn amyneddgar iddi hi adael cyn mynd at y cownter.

'Sut dech chi?' meddai Goss yn hawddgar wrth y fenyw radlon oedd yn gweini. Edrychai fel petai hi wedi mwynhau gormod o'r cynnyrch dros y blynyddoedd ond eto . . .

'Shw mai,' atebodd yn serchus. 'Beth alla i 'i ga'l i chi?'

'Y darn yna o bysgodyn,' meddai Goss wrth bwyntio at un y tu ôl i'r gwydr, 'a tsips, plis. Be amdanat ti, Price?'

''Run peth plis, syr.'

Cododd y fenyw ei haeliau wrth glywed y 'syr', ond aeth ati i baratoi'r archeb.

'Inspector Goss, CID, a dyma Cwnstabl Price,' meddai. ''Mond holi'n gyffredinol am y dyn fu farw yma neithiwr.'

'Fu *farw*?' holodd y fenyw a sioc yn ei llais.

'Ie, mae arna i ofn. Oeddech chi'n gweithio neithiwr?'

'O'n. O'dd hi'n itha bishi.'

'Fuodd o yma neithiwr?'

'Do.'

'Oedd o wedi meddwi, fasech chi'n dweud?'

'Wel, o'dd a gweud y gwir, o'dd e'n edrych dipyn bach *worse for wear*. Halen a finegr?' holodd.

'Ie, plis.'

Lapiodd yr archeb a'i roi i Goss.

'Faint yn "worse for wear"?'

'Wel, o'dd e'n propo'i hunan lan wrth y cownter 'ma ac o'dd e'n woblan itha reit pan a'th e mas trwy'r drws.'

''Dech chi'n gwybod rwbath amdano fo?' holodd Goss, gan gadw'i dôn hwyliog.

'Helô. Mr Goss, ife?' Daeth llais cryf o'r drws ym mhen pellaf y cownter. Safai dyn cydnerth yn ei bedwardegau cynnar, ei olwg yn cyd-fynd â'r llais, yn llenwi'r drws yn ei ffedog wen yn sychu ei ddwylo, yn amlwg wedi bod yn gweithio yng nghefn y siop. Er ei fod yn debyg i'w frawd mewn rhai ffyrdd, doedd e ddim mor debyg â hynny chwaith. Roedd hwn yn fawr ei gorff ac yn llydan ei wyneb. Yn wahanol i'w frawd, roedd dwylo fel rhofiau ganddo, ond yr un oedd y sicrwydd yn ei ymarweddiad. Ni châi hwn fyth drafferth mewn tafarn.

'Gerwyn ap Brân?' holodd Goss.

'Ie. Chi ddim yn ypseto'n staff ni, y'ch chi?' meddai'r gŵr yn ddi-wên.

'Ddim o gwbwl. Holi am y dyn gafodd ei ladd yma neithiwr.'

'Mair, gorffen y tato 'na, wnei di? Fe edrycha i ar ôl Mr Goss.'

'Iawn, Gerwyn,' meddai, a chilio i'r cefn.

'So neb yn gwbod rhyw lawer am Mr Simpson. Cadw iddo fe'i hunan. Dyn preifat iawn. Ma' lle fel hwn yn gadel i rywun fod yn breifat, os yw e moyn.'

Doedd Goss ddim yn siŵr o arwyddocâd y sylw diwethaf, ond parhaodd. 'Gafodd o lawer i'w yfed neithiwr?' gofynnodd.

'Tamed bach mwy nag arfer, wy'n credu. Roedd e i fod i adel heddi. Fe brynais i beint iddo. Noson ola ac ati, ac o'dd e wedi cael dropyn teidi cyn hynny.'

'Dau, tri pheint?'

'Sai'n siŵr. Ond ma' Cwrw Cardi'n stwff cryf. O's rhywbeth arall alla i neud i chi, Mr Goss?' meddai Gerwyn ap Brân wedyn, fel petai am ddirwyn y sgwrs i ben.

'Potel o hwnna,' meddai Goss a chyfeirio at botel lemonêd yn yr oergell ym mhen pellaf y cownter. Wrth i Gerwyn fynd i'w hestyn, pwysodd Goss dros y bar i gyrraedd yr halen a thaflu golwg frysiog ar esgidiau Gerwyn. Roedd yn dal i afael yn yr halen pan drodd hwnnw yn ei ôl. 'Ym, meddwl rhoi mwy o halen, ond na, rhaid meddwl am y *blood pressure*, yn does?'

'Oes wir,' atebodd Gerwyn. 'Pysgodyn a sglods ddwywaith, a photel o lemonêd, ife?'

'Ie.'

'Deg punt yn union, ond i chi – *on the house*.'

Ymbalfalodd Goss yn ei boced a tharo papur degpunt ar y bar. 'Gwell peidio. Rhaid bod mor ofalus y dyddie yma.'

'Deall yn iawn,' atebodd Gerwyn a gwên wybodus nad oedd Goss yn ei deall yn iawn.

'Un peth arall,' meddai Goss wrth adael. 'Sut bydd pobol yn talu i chi am eu lle?'

'Eu *pitch*?'

'Ie.'

'Yn wythnosol neu'n fisol.'

'Yn y swyddfa neu fyddwch chi'n galw heibio i'w gasglu?'

'Yn y swyddfa fel arfer, ond weithie mae'n rhaid atgoffa rhai pobl.'

'Be am Mr Simpson?'

'Talu am ei bythefnos ar y diwrnod cyntaf. Pam?'

'Dim ond darn arall o'r jig-so. Mynd i fwynhau'r tsips. Diolch.' Ac allan â'r ddau i gyfeiriad y car.

Edrychodd Gerwyn yn fyfyrgar ar eu holau.

*   *   *

Agorodd Price ei becyn yn awchus ar ôl cyrraedd y car.

'Agor y blydi ffenest yna, wnei di? Mi fydd y car yma'n drewi,' meddai Goss wrth ddod i eistedd wrth ei ochr.

'O, sori, syr. Ffenestri letrig, syr.'

'Wel, agor y blydi drws 'te.' Agorodd Price y drws. 'Trenyrs efo tic ydy trenyrs Nike, yntê?' ychwanegodd wedyn.

'Ie,' atebodd Price a'i geg yn llawn.

'Cau'r blydi drws yna. Mi awn ni i ben arall y maes lle roedd y garafán, mi fyddwn ni'n llai amlwg yno,' meddai Goss wrth amneidio at Gerwyn yn rhythu arnynt o ddrws y Sglodfa. Taflodd ei becyn tsips i gôl Price a thanio'r injan.

Parciodd gyferbyn â'r safle losgedig lle bu'r garafán. Agorodd y drws. 'Dwi'n mynd i weld contact.'

'Chi ddim moyn eich tsips, syr?'

'Gas gen i bysgod. Byth yn eu bwyta nhw.' Edrychodd Price yn hurt ar ei ôl.

Cerddodd Goss at fainc gyfagos, tanio sigarét, tynnu'n ddwfn ar y mwg ac aros.

Roedd wedi bod yn ddiwrnod braf, a mis Awst yn tynnu at ei derfyn, ond roedd cymylau'n cyniwair dros y môr wrth i'r dydd ddirwyn i ben a'r haul yn machlud yn raddol. Serch y rhagolygon, tynnodd Arthur ei siaced a'i thaenu dros gefn y fainc.

Roedd plant ifanc yn chwarae mewn parc bychan gyferbyn ond roedd y maes cyfan yn eithaf tawel – y teuluoedd wedi heidio i'r traeth a heb ddychwelyd eto, neu'n ymlacio cyn troi tua'r bar fel y rhagdybiai'r barman. Doedd dim sicrwydd. Bwytai Price ei bryd yn eiddgar yn y car. Doedd dim awydd bwyd ar Arthur.

Mae plant fel pysgod, meddyliodd Arthur. O'r golwg, dim sôn amdanynt ac wedyn yn heidio o rywle'n hollol ddisymwth. Ac felly y bu. Sgrialodd Charlie ar ei feic o rywle'n hollol ddisymwth.

'Heia, mistar.'

'Heia,' atebodd Goss. 'Meddwl y baset ti rownd yma'n rhywle. Gin i newyddion drwg i ti.'

'Wedi marw, yn dydi?'

'Ydy, mae arna i ofn. Wedi'i losgi'n ddrwg. Dim llawer o obaith. Ti isio tsips?'

'Am ddim? Ydw.'

'Maen nhw yn y car. Mi ddylien nhw dal i fod yn boeth.' Aeth Arthur i'r car i'w nôl. Bwytaodd y crwt yn awchus.

'*Fish* hefyd.'

'Ie. Ti 'di cael swper?'

'Do, ond mi oedd hynny hydoedd yn ôl. Mi oedd Dad bob amser yn deud: "You got hollow legs." Biti am Gordon.'

'Dwi isio chwaneg o *info*,' meddai Goss.

'Mi oedd o'n foi neis. Doedd Mam ddim yn lecio fi'n siarad hefo fo. Fasa hi ddim yn lecio i mi siarad hefo chi. Mae hi yn y clwb hefo Dixie rŵan, felly mi fedra i. Mi oedd hi'n meddwl ei fod o'n *paedo*, ond mae hi'n meddwl bo' pawb yn *paedo*. Ond doedd o ddim. Chi'n medru deud. Maen nhw'n sbio arnat ti'n od. Doedd o ddim yn sbio arna i'n od. Mi oedd o'n olréit.'

Hen ben ar sgwyddau ifanc, meddyliodd Goss. 'Pwy ydy Dixie? ' holodd wedyn.

'Dad newydd fi. Pwy sy yn y car?'

''Yn helpar i.'

'Fatha *The Bill*, 'ta.'

'Rywbath felly.'

'Chi'n meddwl bo' rhywun wedi bympio fo off?'

'Hwyrach.'

'Wedi bympio fo off am ei fod o'n *paedo*?'

'Nage, ond mae o'n syniad. Copar ddylet ti fod. Rhywbeth arall y medri di ddweud amdano fo?'

'Ella.'

'Be ti'n feddwl, "ella"?'

'Jest 'mod i'n cadw stwff iddo fo. Mi oedd o'n talu.'

'Ddudest ti mo hynny o'r blaen.'

'Naethoch chi'm gofyn. Eniwê, mae o 'di marw rŵan a mi fedra i ddeud wrthoch chi.'

'Pa fath o stwff?'

'Ei ffôn a'i goriada fo.'

'Lle oeddet ti'n eu cadw nhw?'

'Dan 'yn fan ni.'

'Lle maen nhw rŵan?'

'Yn 'y mhoced i,' a chyflwynodd Charlie amlen blastig i Goss.

Edrychodd Goss ar yr amlen dryloyw a'r allweddi a ffôn symudol y tu mewn iddi a'i hagor yn ofalus.

'Does 'ne ddim *SIM card* yno fo. Mi 'nes i tsecio. Ffôn dda, yn dydy? Model newydd sbon hefyd. Vauxhall Astra ydy'r car.'

'Lle mae'r car?'

'Dwn 'im. Ddim 'di weld o ynddo fo. Mi oedd o'n seiclo i bob man. Rhaid bo' gynno fo un neu sut fasa fo 'di dod yma? Dydy'r lle 'ma ddim ar *bus route*, ydy o?'

'Wir, mi ddylet ti fod yn gopar,' ymatebodd Goss. 'Mi gadwa i'r rhain.'

'Mi fydd rhaid i chi. Fedra i ddim 'u rhoi nhw'n ôl i Gordon rŵan.'

'Un peth arall,' meddai Goss. 'Y trenyrs yna ti'n wisgo. Be 'di 'u mêc nhw?'

'Reeboks. Pam?'

'Jest holi.'

Ymlwybrodd 4x4 mawr i'w cyfeiriad. 'Gorod mynd. Ta-ra,' meddai Charlie a diflannu mor ddisymwth ag y cyrhaeddodd. Stopiodd y Mercedes gyferbyn â Goss.

'Wedi mwynhau eich peint, Mr Goss?'

'Do, diolch.'

'Yn dal gyda ni felly?'

'Yn dal gyda chi, Mr ap Brân. Mwynhau'r haul yn machlud. Mae'n mynd i lawio, ddwedwn i,' meddai Goss gan edrych yn fyfyriol ar yr awyr.

'Efallai wir, Mr Goss. Efallai wir. Ydych chi'n gwybod pwy oedd y dyn anffodus eto?'

'Ddim eto, ond fe ddaw.'

'Efallai y cawn ni heddwch wedyn, Mr Goss.'

'Siŵr braidd, siŵr braidd,' atebodd Goss. 'Un cwestiwn,'

ychwanegodd wedyn cyn i Ap gau'r ffenest drydan.

'Unrhyw syniad sut daeth y garafán yma?'

'Ddaeth hi ddim yma.'

'O?' holodd Goss.

'Roedd hi yma'n barod. Ni oedd piau'r garafán.'

'O,' ymatebodd Goss, a thinc o ddiddordeb yn ei lais.

'Unrhyw beth arall?'

'Ddim am y tro, diolch.'

Llithrodd y Mercedes ymaith yn hamddenol fel petai'r teyrn am fynd am dro o amgylch ei ystad.

Tynnodd Arthur wynt trwy ei ddannedd a chodi. 'Ty'd Price,' meddai wrth eistedd yn ôl yn sedd y teithiwr. 'Datblygiadau, datblygiadau. Well i ni ei throi hi cyn i rywun ein hel ni o 'ma, wir!'

Taniodd Price yr injan.

*   *   *

Roedd y siwrnai yn ôl i'r Rhewl yn un dawel iawn, a meddwl Goss yn bell.

Ni feiddiodd Price darfu arno. Dechreuodd un frawddeg ond penderfynodd beidio â'i gorffen.

Gollyngodd Goss y tu allan i'w fflat.

'Beth chi'n feddwl, Mr Goss?' holodd Price cyn i Arthur gau'r drws.

'Ddim yn siŵr eto, Price. Ddim yn siŵr. Naw o'r gloch bore fory ar y dot. Lot fawr i'w drafod.'

'Iawn, syr.' Roedd hyn yn arwydd o gael ei dderbyn i gyfrin gyngor yr Inspector a throdd tua thref â pheth boddhad.

Pan gyrhaeddodd Goss y fflat, camodd dros y taflenni tec-awê a'r post sothach ar y llawr ger y drws. Eisteddodd yn swp yn y gadair freichiau. Yn sydyn roedd hi'n edifar ganddo fod mor ffri ei haelioni â'r tsips.

Trodd y teledu ymlaen i weld diwedd y newyddion, a mynd at yr oergell i weld beth ellid ei ddarganfod yn lluniaeth yno. Hoeliwyd ei sylw gan y teledu pan glywodd y geiriau: 'dyn di-enw mewn maes carafannau lleol. Mae'r heddlu'n ceisio darganfod pwy oedd e, ond nid ydynt yn credu bod yr amgylchiadau'n amheus.'

'Cyn pryd braidd!' cyfarthodd Arthur wrth y fflat wag. 'Pwy gythrel sy wedi bod yn blabio wrth y wasg?'

Tynnodd y botel wisgi allan o'r oergell. Arllwysodd wydryn helaeth ohono, agor y tap ac ychwanegu dŵr. Eisteddodd yn y gadair freichiau a sipian yn feddylgar. Cododd eto'n fuan i lenwi'r gwydr yr eildro, tanio sigarét a thynnu'n ddwfn ar y mwg.

Pennod 5

Roedd yn mynd i fod yn ddiwrnod poeth. Camodd Arthur dros y post ar ei ffordd allan o'r fflat fel y gwnaeth ar ei ffordd i mewn y noson cynt a chau'r drws yn glep ar ei ôl yn flin.

Ar ei ffordd i'r swyddfa, prynodd frechdanau a chopi o'r *Western Mail* o'r garej ger ei dŷ. Roedd blas y wisgi'n dal yn ei geg a rhywfaint o'i effaith yn dal rywle y tu ôl i'w lygaid. Doedd gwres y bore ddim yn help.

'*West Wales Mystery Man*' oedd y pennawd.

Eisteddodd yn y car i ddarllen a bwyta. Brathodd yn awchus ar ei frechdan 'All-day Breakfast' wrth ddarllen. Doedd y datganiad heb ei ganiatâd ddim yn plesio. 'Whitaker, y bastard,' meddai'n dawel.

Trodd at y tudalennau tu mewn. Taflodd olwg frysiog dros un o'r erthyglau golygyddol ac arafodd ei gnoi wrth iddo ddarllen. '*Drug Death*' oedd y pennawd. Sganiodd trwyddi'n frysiog rhag bod yn hwyr yn cwrdd â Price. Llyncodd wrth ddarllen rhan o'r erthygl yn fanylach: cyfweliad â thad merch ifanc fu farw o effaith cyffuriau. 'We spoke to Gordon Prendergast from Solihull, a father who lost his daughter earlier this year.'

Llyncodd weddill ei frechdan a thanio'r peiriant.

*   *   *

Roedd Price yn aros am Goss yn ei swyddfa'n llawn brwdfrydedd wrth iddo ddod trwy'r drws. 'Ffonia

Solihull eto, gofyn am ddyn o'r enw Gordon Prendergast y tro yma,' meddai Goss yn frysiog. 'Be ddudodd y claf wrthot ti pan oedd o yn yr ysbyty?'

'Penny-gas, neu rywbeth fel 'na.'

'Mae'r ffaith mai ffrwydrad oedd hwn wedi'n harwain ni ar gyfeiliorn, braidd. Be os mai dweud ei enw oedd y dyn? Dwi'n amau mai Gordon Prendergast oedd ei enw fo. Ffonia. A rhag ofn bod yna gant a mil o Prendergasts yn Solihull, hola am un efo merch o'r enw Rachel, a fu farw o effaith cyffuriau'n gynharach eleni.'

'Iawn, syr,' ac i ffwrdd â Price.

Agorodd Goss amlen ar ei ddesg a'r geiriau 'Post Mortem Preliminary Report' arni. Darllenodd yn ofalus nes iddo gyrraedd y geiriau 'traces of a tranquilizer in his blood'.

Yna gwelodd y nodyn: 'Copy forwarded to Chief Constable Monday 21st'. Roedd yr adroddiad wedi mynd i'r top eisoes, felly.

Cododd Goss y ffôn. 'Be ydy rhif ffôn y warws lle mae'r garafán, James?'

Cafodd y wybodaeth angenrheidiol a deialu.

'Helô, Goss yma . . . Ie, Inspector Goss. Pan oeddech chi'n mynd trwy'r stwff yn y garafán, ddaethoch chi ar draws rhywbeth tebyg i focs tabledi?'

'Arhoswch funud,' daeth y llais i lawr y ffôn, a bu tawelwch am funud neu ddau. Drymiai Goss ei fysedd ar y ddesg yn ddiamynedd. Daeth y llais yn ei ôl. 'Oedd, roedd yna diwb bach metel oedd wedi ei losgi'n rhy ddrwg i ni allu darllen dim byd ar y label, ond roedd dwy dabled y tu mewn.'

'Dech chi'n gwbod pa fath o dabledi oedden nhw?'

'Wel, dydw i ddim yn ddoctor, ond maen nhw'n

edrych yn union yr un fath â'r tabledi mae'r wraig yn eu cymryd.'

'Be sy'n bod ar y wraig?' holodd Goss.

'*Depression*, syr.'

'Ddrwg gen i glywed. Yden nhw'n ei gwneud hi'n gysglyd?' holodd Goss yn llai siort.

'Ydyn, syr, sy'n gysur ar ei dyddiau gwael,' daeth yr ateb.

'Diolch. Defnyddiol i wybod,' ychwanegodd Goss cyn rhoi'r ffôn i lawr.

Dychwelodd Price i'r ystafell.

'A?' holodd Goss.

'Syr?'

'Oeddwn i'n iawn?'

'Bingo, wy'n meddwl. Ma'n nhw'n gwbod am Gordon Prendergast. O'n nhw'n gweud 'i fod e wedi bod yn rial poen yn y pen-ôl iddyn nhw dros y misoedd d'wetha. Ar 'u cefne nhw byth a hefyd moyn gwbod o'n nhw rywfaint nes at ddal y diawled werthodd y cyffurie i'w ferch. Pethe wedi tawelu'n ddiweddar. Ma'n nhw'n mynd rownd i'w dŷ fe nawr. Byddan nhw'n ffono 'nôl cyn gynted ag y gallan nhw.'

'Coffi, dwi'n meddwl,' meddai Goss. 'Hen bryd i ni wneud yn siŵr nad yden ni ddim yn rhoi dau a dau at ei gilydd a gwneud pump.'

'Iawn, syr. Siwgwr a lla'th, syr?'

'Un siwgwr. *Shaken, not stirred*,' atebodd Goss.

'Ond James Bond yw hwnna, ddim Sherlock Holmes.'

'Paid â hollti blew,' atebodd Goss yn swta.

*   *   *

Gosododd Price y ddau goffi ar y ddesg. Canodd y ffôn a chododd Goss y derbynnydd. 'Oh yes, it's Constable Price you want, is it? I'll see if he's available,' meddai, a syndod yn ei wyneb a'i lais. 'I ti, Constable Price,' meddai'n goeglyd wedyn a throsglwyddo'r derbynnydd.

Eisteddodd Goss yn amlwg ddiamynedd tra daeth ambell 'Mmm,' a 'Yes, I see' o enau Price.

'And she's not back from work until two? I see. Right, thank you for being so quick. We'll be in touch,' a rhoddodd y ffôn i lawr.

'Dyw'r fenyw drws nesa ddim wedi'i weld e ers dros wthnos. Dim syniad ble ma' fe wedi mynd. Yn gweud 'i fod e wedi bod yn ymddwyn braidd yn od.'

'Wel, mi fase fo. Colli ei ferch. Be am ei wraig?'

'Wedi marw o ganser ddwy flynedd yn ôl, o beth wy'n deall.'

'Be am y car?'

'Sdim un tu fas i'r tŷ. Vauxhall Astra sy 'dag e.'

'Be oedd ei waith o?'

'Llyfrgellydd. Ond roedd e off â *stress*.'

'Does ryfedd, wir. Pwy sy ddim 'nôl tan ddau?'

'Ei chwaer e. Ma' hi'n byw lawr yr hewl. Ma'n nhw'n galw i'w gweld hi'n nes ymla'n.'

'Ddim yn ddrwg, gwnstabl bach, ddim yn ddrwg.'

'Diolch, syr.'

'Y peth nesa sy raid i ni ei wneud ydy dod o hyd i'w gar o. Mae o rywle o gwmpas y Berig. Dwi'n meddwl bod gynnon ni *result*. Y cwestiwn mawr ydy ai *suicide*, *homicide* neu ddamwain oedd tynged Mr Prendergast. Wyt ti'n dallt y ffôns symudol yma?'

'Odw, syr.'

'Wel, cymer olwg ar hwn, 'te,' meddai Goss, gan

gyflwyno'r amlen blastig roedd wedi'i derbyn gan Charlie i Price. 'Does 'na'm *SIM card* ynddo fo, os ydy hynny'n golygu rhywbeth i ti, a phan ddoi di o hyd i'w gar o, dyma'r goriade.'

'Yr allweddi, syr?'

'Ie, yr allweddi, sbo!' meddai Goss yn ei acen ffug-ddeheuol orau. '*Go to it*, fachgen, *go to it*! Dwi'n mynd am dro i ochrau Solihull. Oes gen ti un o'r *sat nav* pethe yna?'

'Pam, syr?'

'I mi fynd i Loegr, Price bach, neu falle ddo i ddim yn f'ôl. Faint o amser gymrith hi o fan hyn?'

'Dwy awr a hanner ac amser am stop. Ma' Anti 'da fi yn Birmingham.'

'Yn ôl erbyn amser te, felly. Mi gawn ni air bryd hynny i fynd dros bob dim. Ffonia Solihull i ddweud 'mod i ar fy ffordd. Mi fydd angen WPC arna i os ydw i'n mynd i gael sgwrs efo'i chwaer o. Gwna'n siŵr ei bod hi'n un ddel. Mae gen i angen tipyn bach o liw yn fy mywyd!'

*   *   *

'Take the exit,' meddai llais y fenyw yn ffurfiol o'r *sat nav*. 'Ocê, ocê,' ymatebodd Goss wedi siwrnai flinderus a phoeth o orllewin Cymru. Diolchai mai ym mhellafion cefn gwlad y gweithiai, ac nid ym maestrefi afiach canolbarth Lloegr. Roedd Price yn iawn. Dwy awr a hanner union, ac amser am baned a phryd o fwyd ar y ffordd cyn iddo gyrraedd maes parcio swyddfa'r heddlu. Daeth menyw i'w gyfarfod.

'Mr Goss, I presume.'

'That's me. You my chaperone?'

'That's me,' atebodd hithau'n hwyliog. Roedd diwrnod

Goss yn gwella. 'I'm DS Bashir,' meddai'r fenyw. 'It's not far from here – about half a mile. Had a good journey, sir? Shall we go in your car?'

'No, and yes,' atebodd Goss.

'Want to stop for a cuppa?'

'No, I stopped to eat on the way. You know what this is about?'

'Yes, I was involved with the original case. Got to know Mr Prendergast quite well. He was always on our backs. Needed to know everything. I suppose he had to focus his mind on something after losing his daughter like that.'

'And could you tell him anything?'

'Drew a blank, I'm afraid. Could have been any number of known dealers working the club scene who supplied her. She was taking everything. Her father wouldn't have it, though. Nothing to nail any of them. Looking for the big boys, really. Small pushers are two a penny. Had a bit of a lead with a snout: Vince. We were grooming him nicely. Caught some small fry down to him. Then he got spooked.'

'What do you mean "were"?'

'He overdosed and killed himself before we got more out of him. Ironic, really, that we gave him the money that he used to kill himself.'

'Accident?'

'Who knows? Found him dead in an alley.'

'Any idea what spooked him?'

'Not really. He mentioned "The Milkman" was coming, that's all. We'd heard the name mentioned before. Talk is he comes from your neck of the woods. Next turn. Here on the left, about four houses down.'

'This could be a bit sensitive,' meddai Goss wrth i'r car arafu o flaen y tŷ lle arwyddodd DS Bashir iddo aros.

71

Roedd menyw ganol oed yn codi ei bagiau allan o gist ei char. Gwelodd y ddau'n dod tuag ati.

'It's Gordon, isn't it?' meddai, a gollwng ei gafael yn y bagiau.

*   *   *

'Can I repeat, Mrs Ansty, that there is no confirmation that it's your brother? All we can say at the moment is that it might be.' Roedd Goss yn ceisio bod mor sensitif ag y gallai gan fod y newyddion yn amlwg yn sioc fawr i'r wraig druan. Doedd hyn ddim yn un o'i gryfderau pennaf. 'Is there anything which would help us identify him? Any distinguishing marks?' holodd wedyn.

'The little finger on his left hand is twisted. I did it to him when we were children. It never healed properly.'

Cododd Goss a chilio i'r cyntedd a'i ffôn yn ei law, gan adael Mrs Ansty yng ngofal DS Bashir, oedd yn llawer mwy medrus ar gysuro.

Dychwelodd o fewn pum munud. 'I'm afraid it sounds like him, Mrs Ansty, the mortuary have confirmed.'

Dechreuodd Mrs Ansty druan feichio crio. 'Maria, Rachel and now Gordon,' meddai gan igian. Rhoddodd y blismones fraich dyner amdani ac ymdawelodd.

'What did Maria do for a living?'

'She lectured. Part-time in the college.'

'Any reason why he would have gone to west Wales, Mrs Ansty?' holodd Goss wedyn.

'He used to go there a lot with Rachel after Maria died. God knows why he was there now. He just up and left. The house was locked. His car was gone. That was Friday, over a week ago. I always called in to make sure he was OK. I have a key.'

'Did he leave a note?' holodd DS Bashir.

'No, nothing. He just went. He did that sometimes after Rachel died. He was acting a bit strange. I had a feeling he'd do something like this. He'd shut himself away from the world. He even shut me and Don out.' Dechreuodd grio eto.

Arhosodd Goss am funud neu ddau cyn gofyn:

'Can I have a look around his house, Mrs Ansty? Get more of a feel of him, sort of thing?'

'Help yourself,' meddai hi a chynnig allweddi iddo. 'You won't disturb anything, will you? He's obsessively tidy.'

'No, don't worry. I'll leave you with DS Bashir for a moment,' meddai Goss, gan dderbyn yr allweddi a cheisio peidio ymddangos yn rhy eiddgar.

*   *   *

Agorodd Arthur ddrws ffrynt y tŷ pâr cyffredin ychydig i lawr y stryd. Camodd i mewn yn barchus. Drachtiodd o awyrgylch y lle.

Teimlai foddhad o gyrraedd diwedd ei daith. Roedd y dyn yn berson o'r diwedd. Roedd ychwanegu'r pytiau gwybodaeth gam wrth gam wedi mireinio'i amgyffred ynghylch pwy ydoedd go iawn. Gallai'r darlun ohono ddod i ffocws yn fwy eglur o ddehongli cynnwys ei gartref. Pa fath o ddarlun fyddai rhywun yn ei gael ohono fo, Arthur Goss, ar sail cynnwys ei fflat, meddyliodd wrth agor y drysau fesul un. Rhoi dyn yn ei gyd-destun, ond hawdd yw camddehongli.

Roedd popeth yn ei le y tu ôl i'r drysau. Yn barod i Prendergast ddychwelyd?

Pren, lledr a llyfrau oedd nodweddion amlycaf y tŷ. Roedd ôl llaw fenywaidd yno: lluniau teulu a darluniau dyfrlliw ar y waliau, potiau blodau gwag yn aros i'w llenwi. Teledu safonol a chwaraeydd DVD. Disgiau o ffilmiau chwaethus mewn rhesel gerllaw. Craffodd Goss ar lun o fenyw a merch ifanc uwchben y lle tân, y ddwy'n cofleidio mewn cyfnod hapusach. Tybiodd mai Maria a Rachel oeddent. Taflodd unrhyw gymhariaeth â'i deulu ei hun yn frysiog o'i feddwl a throi at weddill y tŷ.

Yn y gegin eithaf traddodiadol roedd casgliad o winoedd. Gwyddai Goss ddigon am win o ddyddiau ei briodas ei hun i sylweddoli nad gwinoedd cyffredin mohonynt. Rhaid nad oeddent wedi eu cyffwrdd ers tro gan fod llwch yn amlwg arnynt. Agorodd yr oergell a gwenu. Ger yr wyau, potyn o mayonnaise, menyn, caws ac iogwrt, roedd potel o wisgi eithaf rhad yn llechu. Roedd hi'n hanner gwag. Oedd hwn yn yfwr cudd, tybed? Gwyddai Goss o brofiad sut i guddio potel. Cymaint mae rhywun yn gallu ei gasglu o gynnwys oergell pobl, meddyliodd. Ond doedd hon ddim yn oergell nad oedd rhywun yn disgwyl dychwelyd ati, meddyliodd wedyn.

Roedd yr un taclusrwydd i'w weld i fyny'r grisiau.

Yn yr ystafell ymolchi roedd tri brws dannedd. Roedd siampŵ a cholur yn y cwpwrdd, tyweli glân a gwlanen ymolchi a chap cawod ar ymyl y bath.

Agorodd ddrysau'r llofftydd fesul un.

Roedd y brif ystafell wely yn daclus, ac roedd offer harddu ar y bwrdd gwisgo: haearn gwallt, persawr a phowdwr wyneb. Roedd y gwely'n gymen a gobenyddion glân arno. Agorodd y cwpwrdd dillad a darganfod bod dillad gwraig Mr Prendergast yno o hyd.

Roedd ystafell y ferch yn wrthgyferbyniad llwyr i'r drefn yng ngweddill y tŷ. Ystafell merch yn ei harddegau. Roedd y gwely â'i orchudd du heb ei gymoni, ac roedd dillad isaf dros y llawr. Roedd posteri o grwpiau roc trwm ar y waliau a gitâr yn y gornel. 'Goth,' meddai Goss wrtho'i hun. Adnabu arwyddion tylwyth y Goth o'i brofiad gyda'i blant ei hun. Roedd y minlliw a'r paent ewinedd du yn adleisio hynny. Edrychai'n debygol na chyffyrddwyd â dim ers marwolaeth y ferch.

Caeodd y drws ar ei ôl i adael y cof amdani'n ddihalog.

Agorodd ddrws yr ystafell olaf ar y llawr uchaf a gweld stydi'n llawn silffoedd llyfrau o amgylch desg. Roedd ffôn, bocs cyswllt diwifr â'r we ac argraffydd yno, ond dim cyfrifiadur. Roedd cwpwrdd ffeilio a phocedi trefnus ynddo, a biliau, gohebiaeth gyda'r banc, yswiriant a phapurach arferol teulu. Roedd rhesaid o ffeiliau bocs ar y ddesg. Tynnodd Goss ambell un allan yn ofalus. Ynddynt roedd erthyglau wedi eu torri o bapurau newydd a phrintiadau o'r we: un ffeil o erthyglau am ei ferch, un arall am y diwylliant Goth, un arall am wahanol gyffuriau ac un arall ag erthyglau am gangiau sy'n pedlera cyffuriau. Popeth wedi ei gatalogio'n drefnus, yn ôl pob golwg.

Doedd Goss yn synnu dim bod Mr Prendergast wedi bod yn boen i'r heddlu lleol. Roedd dod o hyd i'r sawl oedd yn gyfrifol am farwolaeth ei ferch yn amlwg wedi dod yn obsesiwn ganddo.

Sylwodd fod bwlch yng nghanol y ffeiliau fel petai un ar goll. Credai iddo'u tynnu allan a'u dychwelyd fesul un yn ddigon gofalus i sicrhau nad oedd yn amharu ar y drefn. Eisteddodd yn ôl yn y gadair swyddfa gyfforddus yn y stydi am funud neu ddau cyn codi. Er nad adnabu'r gŵr druan, teimlai gydymdeimlad ag ef. Roedd wedi ymweld am fyr dro â'i realiti a darganfod dyn deallus, sensitif, trefnus, a'r boen yn corddi o'i fewn yn dawel.

*   *   *

Caeodd bob drws yn y tŷ yn ôl dymuniad Mrs Ansty. Teg oedd gadael cysgod presenoldeb y perchennog mor ddilychwin â phosibl.

Cyn gadael, cododd dderbynnydd y ffôn yn y cyntedd. Deialodd 1471 a gwrando.

'Telephone number 07990 235628 called yesterday at 11.13 hours,' meddai'r llais. Nododd Goss y rhif ar ddarn o bapur yn ei boced.

Sylwodd nad oedd post ar y llawr ger y drws ffrynt cyn ei gau.

*   *   *

Roedd Mr Ansty wedi cyrraedd adref erbyn i Goss ddychwelyd i dŷ'r chwaer. Gallai DS Bashir ac yntau adael ei wraig yn ei ofal am y tro.

'Any post for Gordon while he's been away?' holodd Goss cyn eu gadael.

'Not much, only junk mail. I threw it away. He hated junk mail,' atebodd Mrs Ansty.

'One of the stress counselling team will be with you shortly,' meddai'r blismones wrth adael.

'We never bring good news to people, do we?' meddai hi wedyn pan oedd yn eistedd wrth ochr Goss yn y car.

'No,' meddai Goss yn fyfyrgar. 'Time to go home, I think. How do I set this sat nav thing to get out of this place?'

Pwysodd DS Bashir ymlaen i ailosod y teclyn iddo.

'There we are. Should get you back safely now. Just tell it to go home, bit like a homing pigeon really,' meddai hi'n famol. 'DC Price said I should look after you in the big city.'

'Did he now?' meddai Goss. 'Thinks he knows all about the place, does he? Well, he has got an auntie in Birmingham after all.'

*   *   *

Ar ôl ffonio Solihull i sicrhau derbyniad i Goss, eisteddodd Price yn ôl yng nghadair ei fòs. Synnai at daclusrwydd y ddesg. Ni fyddai erioed wedi rhoi Goss yng nghategori pobl daclus. Gallai glywed tipyn o fwrlwm y dderbynfa drwy'r drws, a phlismyn traffig yn tynnu coes ar eu ffordd i hela gyrwyr, ond roedd arwahanrwydd y swyddfa yn newid braf.

'*Induction*, myn yffarn i,' meddai'n dawel wrth edrych ar yr amlen blastig â'r ffôn ac allweddi'r car ynddi. 'Ti ar dy ben dy hunan, boi!'

Gwagiodd gynnwys yr amlen ar y ddesg. Cododd y ffôn ac agor y cefn. Na, doedd dim cerdyn SIM y tu mewn. Gwasgodd y botwm i ddeffro'r teclyn, a daeth golau i'r sgrin. Roedd yr arwydd batri isel yn fflachio.

Aeth i'w boced a thynnu ei ffôn ei hun ohoni. Tynnodd y cerdyn SIM o'r cefn a'i osod yn ffôn Gordon Prendergast. Daeth y ffôn yn fyw ar unwaith.

Gwyddai mai ei wybodaeth ef fyddai'n ymddangos yn bennaf, ond tybiai fod rhifau allai fod o help wedi eu storio yn y ffôn ei hun.

Gwasgodd y botwm i ddangos y rhestr rhifau ffôn a

daeth ei restr ef i'r golwg. Gwyddai y byddai unrhyw rif a storiwyd yn y ffôn yn ymddangos ymhlith ei rifau ef. Brysiodd drwyddynt.

Dim ond un a ddarganfu: 07990 235628, a'r llythrennau EL ynghlwm wrtho.

'Shit,' meddai wrth i'r ffôn farw a'r sgrin bylu, ond cofiodd y tri rhif olaf a'u nodi.

Tynnodd y cerdyn o'r cefn a'i ailosod yn ei ffôn ei hun. Rhoddodd ffôn Prendergast a'r allweddi yn ôl yn yr amlen, rhoi honno ym mhoced ei siaced a chodi i adael. Yr eiliad honno, canodd ffôn Goss. Arhosodd cyn codi'r derbynnydd. 'Constable Price,' meddai'n betrus.

'Ydy Goss yna?' meddai'r llais y pen arall.

'Ga i ofyn pwy sy'n siarad?'

'Superintendent Whitaker. Ga i siarad efo fo?' daeth y llais yn ddiamynedd.

'Ma'n flin 'da fi, dyw e ddim yma, syr.'

'Ydy o'n bell?'

'Ydy, syr.'

'Wel, ble?'

'Ar ei ffordd i Solihull, syr.'

'Beth gythral mae e'n wneud yn mynd i Solihull?'

'Dy'n ni'n meddwl ein bod ni'n gwbod pwy oedd y dyn a fu farw yn y Berig. Dyn o'r enw Gordon Prendergast, o Solihull. Mae Mr Goss wedi mynd yno i siarad â'i chwaer. Bydd e 'nôl cyn diwedd y dydd, medde fe.'

'Ydy e ddim yn gwybod bod heddlu 'da nhw yn Solihull hefyd?'

Ni wyddai Price sut i ymateb a phenderfynodd beidio.

'Jest dwed wrtho 'mod i wedi ffonio a 'mod i eisiau gair.'

'Fe allech chi ffonio'i fobeil,' cynigiodd Price yn

wylaidd, ond roedd Whitaker wedi mynd. Chwythodd
wynt o'i fochau a gadael yr ystafell cyn i'r ffôn ganu eto.

'Oes car galla i ddefnyddio?' holodd James ar y ddesg.

'Ti yn CID nawr, w. Ti'n defnyddio dy gar dy hunan.'

'O,' meddai Price, yn dechrau sylweddoli realiti ei
sefyllfa newydd.

'O'n i'n meddwl bydde *induction* wedi dysgu pethe fel
'na i ti 'achan.'

'Pa *induction*?' atebodd Price yn sychlyd. 'Os odw i
moyn dod o hyd i Vauxhall Astra yn yr ardal 'ma, o's 'da
ti unrhyw syniade?'

'Pa liw?'

'Sai'n gwbod.'

'Rhif?'

'Dim syniad.'

'Adeg hyn o'r flwyddyn? Dim ond dau neu dri chant
ohonyn nhw fydde yn yr ardal, weden i. Ti ar ben dy
hunan, gw'boi. Pob lwc.'

'O, o's *charger* 'da ti ar gyfer y ffôn 'ma?' A dangosodd
y ffôn yn yr amlen blastig.

'Price, mae'n ddiwrnod marchnad yn y dre 'ma heddi –
os wyt ti'n meddwl bod 'da fi amser i whilmentan am
charger i ti . . .'

'Dim probs,' meddai Price cyn i Sarjant James orffen.
'Jest meddwl . . .' a gadawodd am y maes parcio. 'Ti ar dy
ben dy hunan, gw'boi,' sibrydodd.

*   *   *

Eisteddai Price yn ei gar mewn cilfach ar ochr y brif
ffordd allan o'r Berig. Roedd wedi treulio awr ddiffrwyth
o gwmpas cilfachau a lonydd bychain yr ardal heb weld
dim sôn am yr Astra. Dim ond pedwar a welsai drwy'r

prynhawn, a dim un o'r rheiny wedi parcio. Doedd ei ddiwrnod cyntaf ar ei ben ei hun yn CID ddim yn mynd i edrych yn rhy lewyrchus.

Brathodd un o'r brechdanau roedd ei fam wedi eu paratoi ar ei gyfer cyn iddo adael am ei waith. Teimlai dipyn o embaras wrth eu derbyn bob bore, a chadwai ei becyn bwyd yn ddirgel rhag i'w gyd-weithwyr dynnu ei goes. Mynnai ei fam ei gyflwyno iddo'n ddefodol, ac fe'i derbyniai'n raslon. Gwyddai mor bwysig oedd y ddefod iddi ers marw ei dad, a fu hefyd yn blismon.

Bîtrwt eto, meddyliodd, agor fflasg o goffi ac arllwys cwpanaid iddo'i hun.

Roedd y diwrnod yn boeth a haul Awst yn codi tes o'r caeau. Agorodd y drws a mynd allan o wres y car i yfed. Gwyddai y byddai'r fisged siocled oedd yn ei becyn bwyd wedi mynd yn llaid brown, a gwenodd.

Rywbryd rhwng meddwl am y siocled a chymryd y brathiad nesaf o frechdan ham a bîtrwt y daeth y syniad iddo. Cuddio car? Pam cuddio car?

Llyncodd weddill ei goffi a thaflu cryston ei frechdan i'r adar mân, tanio'r car a throi'n ôl i gyfeiriad y Berig.

Ar y ffordd i mewn i'r dref gallai weld datblygiad newydd – tua deg ar hugain o dai modern eithaf bach, ond addas i gadw naws bentrefol. Edrychodd ar yr arwydd uniaith Gymraeg a'r enw Daliadau'r Berig arno. Trodd i mewn. Roedd amryw o'r tai yn amlwg wedi eu gwerthu a'r perchnogion yn byw ynddyn nhw. Roedd ceir wedi eu parcio blith draphlith yno. Rhai pobl y stad ac, o bosib, ymwelwyr oedd am osgoi talu yn y maes parcio yn nes i lawr y ffordd at y Berig.

Darganfu dri Vauxhall Astra.

Estynnodd yr allweddi a gawsai gan Goss a gwasgu'r

botwm wrth bob un yn ei dro. Wrth y trydydd, nid nepell o fynedfa'r stad, fflachiodd golau'r car, yn dynodi cyswllt â'r allwedd. 'Bingo! Mae'r stwff CID yma'n isi-pisi!' meddai wrtho'i hun yn dawel.

Agorodd y drws. Doedd dim arwydd o berchennog. Aeth at y gist a'i agor. Roedd nifer o fagiau plastig a chas cyfrifiadur ynddo. Ystyriodd dyrchu ymhlith y bagiau, ond penderfynodd beidio rhag pechu'r bois fforensig. Cododd ei ffôn symudol i alw am y lorri i gyrchu'r car.

Arhosodd am awr nes i ddynion y lorri gyrraedd, cyn dychwelyd i'r swyddfa yn eithaf balch o'i ddiwrnod cyntaf yn CID.

*   *   *

Roedd hi wedi amser te pan gyrhaeddodd Goss yn ei ôl. Roedd Price yn eistedd yn ei swyddfa'n barod i ddatgan ei lwyddiant wrtho.

'Wedi dod o hyd i'r car?' holodd Goss ar ei ffordd i mewn trwy'r drws.

'Do.'

'Iawn. Ble mae o?'

'Yn y warws gyda'r garafán.'

'Iawn.'

'O,' meddai Price, a'i siom yn ymateb unsillafog Goss yn amlwg.

'Unrhyw lwc efo'r ffôn?'

'Dipyn bach. Un rhif wedi'i storio ynddo. Dim ond y tri rhif ola wy'n eu cofio. A'th y batri cyn i fi nodi'r lleill.'

Aeth Goss i'w boced a thynnu darn o bapur. 'Chwech, dau, wyth oedden nhw?'

'Ie,' meddai Price. 'Shwt chi'n gwbod 'ny?'

'Gwaith ditectif, Price. Gwaith ditectif.'

'O,' meddai Price eto.

'Reit, dwi'n meddwl bod angen i ni gael dipyn bach o help i mewn. Dim byd fel achos go lew i gael ein dannedd ynddo fo.'

'Achos o beth, syr?'

'Ddim yn siŵr eto, Price, ond mi gawn ni weld.'

'Ma' Mr Whitaker wedi bod ar y ffôn, syr.'

'Pryd?'

'Bore 'ma, syr. Am i chi 'i ffono fe 'nôl. Do'dd e ddim yn swnio'n rhy bles 'ych bod chi wedi mynd i Solihull. Fe sonies i ble y'n ni arni 'da'r achos.'

Edrychodd Goss ar ei wats. 'Hanner awr wedi pump. Rhy hwyr i'w ffonio fo rŵan. Mi wna i yn y bore, os cofia i. Mi allwn ni alw'r cafalri'r adag honno hefyd. Reit, dwi'n gwbod dy fod di bron torri dy fol isio dweud y cwbl. Fe gawn ni'n dau ddweud ein hanes am y diwrnod, a gawn ni weld be sy ganddon ni ar y diwedd,' meddai Goss yn dadol. 'Ond cer i nôl paned o goffi gynta, wnei di?'

Pennod 6

Cerddodd Arthur Goss yn sionc trwy ddrws swyddfa'r heddlu y bore wedyn ar ôl cerdded i'r gwaith trwy'r heulwen. Cawsai sbri o lanhau a thacluso'i fflat cyn mynd i mewn. 'Bore da, Sarjant James,' meddai'n dalog wrth basio'r ddesg.

'Ym . . .' meddai James yn arwyddocaol a chyfeirio â'i ben i gyfeiriad drws swyddfa Goss.

'Mr Whitaker?' holodd Goss yn dawel.

'Mr Whitaker,' atebodd James yr un mor dawel.

Eisteddai Whitaker yn ei gadair ef a'i gefn ato pan agorodd y drws. Trodd i'w wynebu pan glywodd y drws yn agor. Dyn eithaf bychan yn ei dridegau hwyr ydoedd, dyn trwsiadus mewn dillad smart ond anffurfiol a phopeth amdano'n awgrymu meddwl trefnus, effeithiol. Roedd ganddo fwng o wallt tonnog, a barf wedi ei thocio'n destlus i guddio gên oedd braidd yn rhy fawr, ac yn amharu ar gydbwysedd yr wyneb.

Roedd Whitaker yn wrthgyferbyniad llwyr i Goss. Gwyddai'r ddau hynny, ac nid oedd y berthynas rhyngddynt wedi bod yn un esmwyth ers i Whitaker gael ei ddyrchafiad a'i drosglwyddo o Heddlu Gogledd Cymru. Sais oedd e, ond roedd wedi dysgu Cymraeg yn berffaith.

'Arthur,' meddai.

'Syr,' atebodd Goss. 'Mi oeddwn i'n mynd i'ch ffonio chi bore 'ma. Wedi clywed eich bod chi wedi bod ar fy ôl i?'

'Fe allech chi ddweud hynny. Dwi'n meddwl ei bod hi'n hen bryd i ni gael gair. Eisteddwch. Waeth i mi ddod yn syth at y pwynt. Busnes y Berig yma.'

Nid eisteddodd Goss. 'Ie? Mae'r datblygiadau'n ymddangos yn ddiddorol iawn,' meddai.

'Gadewch lonydd iddo fo,' meddai Whitaker gan edrych yn syth i wyneb Arthur.

'Gadael llonydd iddo fo?'

'Ie,' meddai Whitaker yn bendant, a throi i edrych allan trwy'r ffenest.

'Ga i ofyn pam, syr?'

'Yn swyddogol, na chewch.'

Bu tawelwch, a meddyliodd Arthur Goss yn hir cyn ymateb. 'Yn swyddogol 'te, dwi'n dweud "na" hefyd.'

Trodd Whitaker yn ôl i wynebu Goss. 'Fyddech chi'n meindio ailystyried y gosodiad yna? Nid gofyn i chi adael llonydd i'r peth roeddwn i, ond *gorchymyn*.'

Codwyd gwrychyn Arthur yn syth ac edrychodd i wyneb ei fòs ar draws y ddesg.

'Gwrandwch chi arna i, Mr Whitaker, syr. Mi ydw i'n dweud wrthoch chi 'mod i wedi bod yn y ffors ers bron i ddeng mlynedd ar hugain ac mae 'ngreddf yn dweud wrtha i bod yna rywbeth yn drewi'n gythreulig am "fusnes y Berig 'ma". Dwi ddim yn siŵr be ydy o eto, ond dwi'n benderfynol o ffeindio allan, pwy bynnag fydd o'n ei ypsetio, heb enwi neb, wrth gwrs.'

Cododd gwrid dicter i fochau Whitaker.

'Na,' meddai'n bwyllog, yn amlwg yn ymdrechu i reoli'i dymer. 'Gwrandewch chi arna i, Inspector Goss. Mi ydw i'n dweud hyn yn answyddogol y tro yma. Mae'n dod o rywle ymhell uwch fy mhen i. Gadewch lonydd iddo!'

'Dewch o 'na! Dech chi'n gwybod cystal â fi pwy ydy

Cadeirydd Pwyllgor yr Heddlu lleol sy isio cadw'r caead yn dynn ar y cyfan.'

'Faswn i ddim yn gwneud gormod o sŵn am hynny yn y cyffiniau yma tawn i'n chi.'

'Bygythiad ydy hwnna, Mr Whitaker?'

'Nage, mater o fod yn bragmatig. Mae rhai pobl nad ydy hi'n talu eu hypsetio.'

Bu distawrwydd am eiliadau hir eto. Edrychodd Goss i fyw llygaid ei fòs.

'Iawn,' meddai'n sydyn, fel petai wedi derbyn y gorchymyn. 'Mi adawa i lonydd i'r Berig, os . . .'

'Os beth?'

'Os gwnewch chi ddweud pwy fyddwn i'n debyg o'i ypsetio.'

'Trïwch Special Branch ac efallai y byddwch chi'n agos at eich lle.' Daeth y geiriau 'Special Branch' allan o enau Whitaker â thinc o chwerwedd na chollwyd gan Goss.

'Hm.' Edrychodd ar ei bennaeth. 'Arhoswch chi funud,' meddai wedyn, fel petai gwirionedd mawr yn gwawrio arno, 'dydech chi ddim yn y lŵp chwaith, nac dech?'

'Dwi'n gweithio ar *need-to-know basis*, dyna'r cyfan. Y cwbl wn i ydy bod gan Special Branch rywbeth mawr yn digwydd yn yr ardal hon cyn bo hir, a dydy'r *shenanigans* yn y Berig yn helpu dim. Felly gadewch lonydd i bethau, a na, dydw i ddim yn y lŵp, fel rydych chi'n amau. Ydw i'n hapus am hynny? Nac ydw. Ydw i'n gallu byw efo hynny? Ydw. Pam? Achos bod pobl uwch ein pennau ni'n dweud.'

Roedd cyfaddefiad Whitaker wedi tynnu'r gwres allan o'r sefyllfa. Dyma'r tro cyntaf i Goss weld y dyn yn hytrach na'r swydd, er mai dim ond cip sydyn a gafodd.

'Oes gan hyn rywbeth i'w wneud â'r "Dyn Llaeth" o gwbl?' holodd Goss.

'Pwy yw'r "Dyn Llaeth"?' holodd Whitaker.

Ceisiodd Goss farnu ai smalio anwybodaeth oedd Whitaker ai peidio.

'Wedi clywed yr enw ar y gwynt, fel petai. Dyna'r cwbwl.'

'Ylwch, Arthur, dydy'r hyn rydw i'n ei wybod neu ddim yn ei wybod ddim yn bwysig. Y cwbwl sydd angen i *chi* ei wybod ydy fod yn rhaid gadael llonydd i bethau a dyna ddiwedd arni.'

Roedd yr 'Arthur' llai ffurfiol yn arwyddocaol. Trodd Whitaker i edrych allan trwy'r ffenest eto. Roedd meddwl Goss yn mynd fel trên.

'Ylwch,' meddai Whitaker eto, 'rydw i'n gwybod eich bod chi'n blismon da ac mae pob plismon da am weld diwedd taclus i bob stori, ond fydd yna ddim un i'r stori yma, o leiaf cyn belled ag rydyn ni yn y cwestiwn. Mae datganiad yn mynd i'r wasg am Mr Prendergast yn cadarnhau mai damwain anffodus fu yn y Berig y noson o'r blaen. Mi fyddan nhw'n sôn am farwolaeth ei wraig a'r ffaith ei fod e a'i ferch wedi bod yn dod i orllewin Cymru ar eu gwyliau. Mi fydd erthygl yn y *Western Mail* am y drasiedi deuluol ac mi fydd hynny'n cau pen y mwdwl. Iawn?'

'Dech chi'n gwybod yn iawn nad damwain oedd y tân yna yn y Berig, yn dydech chi?' meddai Goss.

'Wn . . . i . . . ddim.' Roedd ateb Whitaker yn pwysleisio pob gair.

'Iawn,' meddai Goss yn dawel.

Bu eiliadau hir o dawelwch.

'Does dim ffordd hawdd o ddweud hyn,' meddai Whitaker yn sydyn. 'Rydw i wedi bod yn tsecio. Mae gennych chi wythnosau o wyliau heb eu cymryd. Dwi'n meddwl y dylech chi ystyried gwneud hynny.'

Ysgydwyd Goss i'r carn.

'Faint o amser sy ganddoch chi cyn ymddeol? Tri mis?'

'Ie.'

'Rydw i'n gwybod nad ydy pethau wedi bod yn rhy hawdd arnoch chi'n ddiweddar.'

'Na, ond mater personol ydy hynny.'

'Ond nid mater personol ydy o pan mae'n effeithio ar eich gwaith.'

'Ym mha ffordd? Mae 'nghanlyniadau i cystal â neb.'

'Dwi'n gwybod hynny. Fe allech chi fod yn fwy ymroddgar i'r ochr weinyddol efallai, ond mater arall ydy hynny; ond mae rhai wedi sylwi eich bod chi wedi bod yn bwrw'r botel braidd yn drwm yn ddiweddar.'

'Pwy sy wedi bod yn dweud?'

'Neb yn benodol.'

'Pryd, er enghraifft?'

'Wel, doeddech chi ddim yn hollol sobor yn mynd i'r Berig at y garafán yna y noson o'r blaen.'

'Mi ges i 'ngalw i mewn pan oeddwn i *off duty*!'

'Nid dyna'r pwynt. I bawb oedd yno, mi oeddech chi *on duty*.' Edrychodd Goss yn syn ar ei fòs.

'Mae pawb yn ymwybodol o'ch sefyllfa chi,' parhaodd Whitaker, 'ac mae pawb yn deall. Rydw i'n siŵr y byddai tipyn o amser i fynd i bysgota, hel meddyliau a chael eich bywyd yn strêt yn gwneud byd o les i chi.'

'Mmm,' hir oedd unig ymateb Goss. 'Un cwestiwn,' meddai wedyn.

'Ie?'

'Ydech chi'n gwneud hyn er fy lles i neu er mwyn fy nghael i allan o'r ffordd?'

'Y ddau,' oedd ateb plaen Whitaker.

'Y "gwyliau" i ddechrau pryd?'

'Heddiw. Mi ydw i wedi trefnu i Doug Ellis gymryd yr awenau dros dro.'

'Dydy o ddim yn gwybod bygar ôl am y patsh yma.'

'Mae o'n gwybod digon.'

'A ddim yn gwybod gormod?'

'Efallai wir.'

'Ond mae gen i garafán a char yn y warws a chorff yn y mortiwari.'

'Ddim mwyach, o'r hyn rydw i'n ei ddeall. Mae popeth wedi cael ei glirio ers neithiwr, ac fe ges i'r ffôn ac allweddi'r car gan Price gynnau. Felly ewch i bysgota, Arthur, da chi. Ewch i bysgota, ac mae hynny'n orchymyn.'

Cododd Whitaker a gadael Arthur yn edrych yn syn ar y man lle'r eisteddai. Caeodd y drws yn dawel ar ei ôl. Fe aeth hynny'n dda, meddyliodd.

'Iawn i fi fynd i mewn nawr, syr?' meddai Price, oedd wedi dod allan o'r ystafell drws nesaf.

'Ddim eto. Well i ni gael gair bach,' a hebryngodd Whitaker ef i lawr y coridor.

*   *   *

Syllodd Arthur o'i flaen heb weld dim gan anadlu'n drwm am funudau hir.

Daeth cnoc ar y drws.

'I mewn,' meddai Goss a chamodd Price yn betrus i'r ystafell. 'Eistedd i lawr. Amser i ti a fi gael gair, dwi'n meddwl.'

'Am roi'r allweddi a'r ffôn i Mr Whitaker?'

'Nage. Rhywbeth lot pwysicach na hynny.'

*   *   *

Cerddai Arthur Goss ar hyd stryd fawr y dref. Roedd ymwelwyr a thrigolion fel ei gilydd wedi troi allan i fwynhau'r bore. Roedd yn mynd i fod yn ddiwrnod poeth a heulog, ac roedd hwyliau pawb yn cyfateb i'r rhagolygon da, ond roedd cymylau duon yn cyniwair uwchben Arthur a chysgod y düwch yn ei ddilyn.

Sylweddolodd yn sydyn nad oedd yn adnabod yr un o'r bobl oedd yn dod i'w gyfarfod. Ni allai'n hawdd ddweud y gwahaniaeth rhwng ymwelwyr a phobl leol. Gallai ddehongli rhywfaint o'u hymarweddiad, eu hiaith a'u hacenion ond dyna'r cwbl. Dim ond dihirod a gwehilion cymdeithas roedd yn eu hadnabod – y sipsiwn fu'n dwyn sgrap, y meddwon fu'n dyrnu eu gwragedd, a dynion fel gŵr y ddynes yn y *launderette*. Cerddodd i'w fflat heb wybod yn iawn pam. Rhaid oedd mynd i rywle, a doedd unman arall i fynd. Teimlai fel bachgen wedi ei ddiarddel o'r ysgol, fel dihiryn ar gae rygbi wedi ei anfon oddi ar y maes. Ni wyddai sut i ymateb i'r sefyllfa newydd hon: dicter, siom, cywilydd, tristwch, rhyddhad hyd yn oed. Âi pob emosiwn trwy ei feddwl, ond y teimlad a dreiddiai'n ddyfnach fyth trwy ei enaid wrth iddo gerdded oedd gwacter. Ni wyddai beth ddylai fod yn llenwi'r gwacter. 'Ffyc,' meddai'n dawel wrth sefyll o flaen drws ei fflat. Agorodd y drws a'i gau'n glep ar ei ôl. Aeth i'r gegin, agor yr oergell, tynnu'r botel wisgi allan ac arllwys dracht helaeth i wydr glân oedd wrth y sinc. Edrychodd ar ei wats. Dim ond hanner awr wedi deg oedd hi. 'Ffyc,' meddai eto, chwistrellu dŵr o'r tap ar ben y wisgi ac eistedd yn ôl yn y gadair freichiau.

Dychwelodd at yr oergell sawl gwaith yn ystod y bore cyn disgyn i drwmgwsg ganol prynhawn.

*   *   *

Tua saith o'r gloch y nos oedd hi pan ddaeth cnoc ar y drws. Ni chlywodd Arthur hi i ddechrau ond treiddiodd y curiadau i'w ymwybod yn raddol. Deffrodd a chodi'n sigledig i agor y drws.

'Chi 'ma,' meddai Price yn hawddgar.

'*Stating the bleedin' obvious* eto, Price,' atebodd Arthur.

'Meddwl bydde hwn rywfaint o iws i chi,' meddai Price, a chynnig pecyn i Arthur. 'Mam wedi neud pastai i de. Lot gormod i ddau.'

Edrychodd Arthur yn hir ar y cwnstabl ifanc gan ystyried sut i ymateb. Safai Price yn dalsyth a'r offrwm o bastai o'i flaen. 'Ty'd i mewn,' meddai o'r diwedd. 'Ond os clywa i unrhyw air o gydymdeimlad neu dosturi mi fydda i'n dy luchio di allan ar dy din.'

Camodd Price i mewn a synnu at daclusrwydd y lle.

'Dwi'n ymddiheuro am y taclusrwydd, mi wna i o'n flêr eto pan ga i amser. 'Stedda.' Ufuddhaodd Price. 'Mae yna rywbeth bach roeddwn i wedi anghofio'i wneud cyn gadael bore 'ma.'

'Ie, syr?'

'Ti'n gwybod y rhif yna?'

'Pa rif?'

'Y rhif oedd yn y ffôn.'

'Ie.'

'Deiala fo, wnei di?'

'Dim ond tri rhif sy 'da fi.'

'Mae'r gweddill gen i.'

Estynnodd Goss i boced ei gôt, tynnu darn o bapur ohoni a'i roi i Price. 'Defnyddia dy ffôn di. Fyddai hi ddim yn addas i ddyn ar wyliau pysgota ymhél â'r pethe yma.'

'Ond fe wedodd y *Super* i fi bido . . .'

'Jest ffonia fo.'

'Ond beth os . . .'

'Ffonia fo,' chwyrnodd Goss.

Deialodd Price y rhif yn ofalus ac aros. Doedd dim ateb.

'Aros ar y lein. Os cei di beiriant ateb, gwasga'r botwm yna i mi glywed hefyd,' meddai Goss, gan gyfeirio at fotwm yr uchelseinydd ar y ffôn.

'Ezra Lake here. I'm sorry I'm unable to take your call. Please leave a message after the tone and I'll get back to you.' Gwasgodd Price y botwm i orffen yr alwad.

'Ezra Lake. Pwy gythrel yw Ezra Lake?' meddai Price wedyn.

'Dyna ti. Gormod o deledu, fel dwedais i, a dim digon o ddarllen. Dim ond un Ezra Lake y gwn i amdano.'

'Pwy?'

'Dwi wedi darllen un neu ddau o'i lyfrau o. Tipyn o awdur a newyddiadurwr, yn ysgrifennu llyfrau rywle rhwng nofelau a llyfrau dogfen. Roedden nhw'n reit dda, os cofia i'n iawn. Paid â synnu, mi oeddwn i'n briod â llyfrgellydd, cofia. Sgwn i be sy ganddo ar y gweill ar hyn o bryd? A sgwn i lle mae o'n byw? Yn ochrau Birmingham, fetia i. Ffeindia allan, wnei di?' meddai Goss yn fyfyrgar. 'Mi fasa'n neis cael gair efo fo.'

'Ond faswn i ddim yn sôn gormod am y peth,' ychwanegodd wedyn. 'Rŵan, cer – mae gen i wisgi neu ddau i'w hyfed cyn i mi deimlo'n well, a dwi'n meddwl yr a' i i bysgota yfory. Mae'r sewin yn dechrau codi yn yr Igwy, o be glywais i. Paid â phoeni, mi wna i fwyta'r bastai.'

Cododd Price, ond roedd meddwl Goss i'w weld yn bell o hyd.

'Os oes yna ddatblygiadau, mi fyddi di'n rhoi gwybod i mi, yn byddi di?' holodd, heb edrych ar Price.

'Iawn, syr,' meddai Price cyn cau drws y fflat ar ei ôl.

Pennod 7

Safai Gruffudd ap Brân yn y tŷ gwydr a ymestynnai ar hyd ochr orllewinol ei dŷ. Oddi yno gallai edrych allan dros y môr. Byddai bob amser yn mwynhau ei gwpanaid boreol, beth bynnag fo'r tywydd, yn drachtio o'r olygfa fel y drachtiai o'i de.

Oddi yno hefyd gallai weld rhan o Ynys Grom yn ymwthio heibio i Drwyn y Garth ar ymyl ogleddol Bae'r Berig. Yr ochr arall, penrhyn Pen y Cam a ffurfiai derfyn pellaf y bae. Roedd y cyfan yn lloches ddelfrydol rhag gwyntoedd mwyaf gerwin y de-ddwyrain, er y gallai tonnau mawrion chwipio'r promenâd yn y Berig pan ddôi'r gwynt o'r gogledd. Troellai afon Igwy'n osgeiddig rhwng y corsydd brwynog ar ôl dilyn trywydd mwy serth a chythryblus i lawr y cwm o'r bryniau oedd yn gefn i'r dref. Cyflwynwyd cais cynllunio i adeiladu melinau gwynt arnynt un tro, ond aeth y cais ddim ymhell. Amharu ar harddwch cynhenid yr ardal oedd y rheswm a roddwyd. Ar y llaw arall, roedd amryw un wedi sylwi na ddenodd y cais cynllunio ar gyfer gwesty moethus a chwrs golff a godwyd ar ochr Trwyn y Garth fawr o wrthwynebiad.

Edrychodd Gruffudd ar siart y llanw oedd ar y wal y tu ôl iddo. Roedd dwy awr cyn y llanw uchel. Edrychodd ar ei wats. Roedd hi'n naw o'r gloch.

Cododd ysbienddrych cryf oddi ar silff y ffenest ac edrych trwyddo. Doedd y pysgotwyr cimychiaid ddim wrth eu gwaith yn y bae eto, ond gallai weld llongaid o deithwyr ar y cwch pleser cyflym a fyddai'n troi o gwmpas Ynys Grom toc. Gwyddai y byddai sawl cwch arall yn gadael wal yr harbwr cyn bo hir.

Diwrnod clir, diwrnod di-wynt, perffaith, meddyliodd.

Tref fechan oedd wedi ffynnu'n ddiweddar oedd y Berig. Swyddfa'r Post, canolfan siopa, tair tafarn, ysgol, eglwys a chapel, a nifer helaeth o ystadau bychain o dai. Popeth wedi ei adeiladu'n chwaethus i gyd-fynd â naws y pentref gwreiddiol. Dathlu traddodiad y chwarel, a fu am gyfnod yn brif ddiwydiant y lle, a wnâi'r amgueddfa gerllaw. Ond bellach yr oedd hufen iâ'n bwysicach na cherrig, er bod peth gwaith yn digwydd yn y chwarel o hyd er mwyn cyflenwi cerrig ar gyfer y gwaith adeiladu yn y dref, a dod ag incwm i deulu ap Brân. Roedd agorydd sylweddol a oedd bellach dan glo ger y rhan oedd yn dal i weithio.

'Chi fel garddwr yn edrych ar ei ardd bob bore, Nhad,' meddai llais menyw y tu ôl iddo.

'Wel, pan fydd dyn wedi plannu ei ardd, mae'n rhaid iddo'i gwylio'n tyfu,' atebodd heb droi i'w hwynebu. 'Popeth yn iawn gyda'r bechgyn?'

'Oedd, Nhad.'

'Fyddan nhw'n iawn ar y trên o Gaerfyrddin?'

'Byddan. Maen nhw'n bedair ar ddeg a phymtheg, cofiwch. Mae Robert yn cwrdd â nhw yn Paddington.'

'Ie, ond a yw cyfreithiwr yn gallu edrych ar ôl plant yw'r cwestiwn.'

'Peidiwch â ffysian nawr. Fe fyddan nhw ar awyren i Tenerife gydag e fory, a does dim y gallwch chi ei wneud. Ymlaciwch.'

Camodd Branwen Brân at ochr ei thad i ddrachtio o'r un olygfa ac o awel y môr a ddôi trwy'r ffenestri llydan.

Menyw luniaidd a thal yn ei phedwardegau oedd

merch Gruffudd ap Brân. Safai yno mewn dillad ysgafn, hafaidd oedd yn pwysleisio'i rhywioldeb disgybledig. Nid oedd oedran, na phlant, nac ysgariad wedi cael effaith negyddol ar ei harddwch. Denodd ambell chwiban gan fricis y pentref wrth iddi gerdded heibio, tan iddyn nhw sylweddoli merch pwy oedd hi. Buont yn barchus o dawel wedyn.

Ddechrau'r gwanwyn y dychwelodd hi adref i'r Berig ar ôl iddi werthu'r tŷ yn Llundain. Roedd digon o le yn ei hen gartref, hyd yn oed iddi hi a dau fachgen afreolus. Doedd hi ddim yn siŵr ai balch o adael y ddinas neu falch o gyrraedd y wlad oedd hi, dim ond ei bod hi'n falch. Ers ychydig fisoedd roedd wedi symud i'r tŷ roedd ei thad wedi ei adeiladu iddi, nid nepell o'r afon. Yno câi breifatrwydd a chadw golwg o hirbell ar ei thad. Gallai'r bechgyn ddod ati yn ystod y gwyliau o'u hysgol breswyl yn Nyfnaint. Gobeithiai y byddai'r ceffylau'n ddigon i gadw eu diddordeb ar ôl bwrlwm y ddinas.

Roedd ei thad yn dal i edrych allan trwy'r ffenest. 'Wyddost ti dy fod di'n swnio yn union fel dy fam?'

'Nhad, os dwedoch chi hynna unwaith . . .'

'Wn i, wn i. Ond mae'n rhaid maddau i hen ŵr gweddw fel fi,' meddai â gwên, a wynebu ei ferch o'r diwedd.

Canodd y ffôn.

*   *   *

Doedd y bore ddim wedi bod yn un o'r rhai mwyaf disglair yn hanes Arthur Goss. Deffrodd toc cyn saith o'r gloch i ymweld â'r tŷ bach, llowcio paracetamol a pheint neu ddau o ddŵr ac edrych allan trwy'r ffenest ar y wawr yn torri ar ddiwrnod arall anghyffredin o danbaid. Doedd y ffaith mai yn y gadair a'i ddillad o flaen y teledu y bu ers deg o'r gloch neithiwr ddim wedi gwneud unrhyw les i'w ystwythder.

Cerddodd yn drwm ei gam i'r gegin i chwilio am rywbeth i'w fwyta. Dydy pethau ddim yn hollol ddu, mae gen i fara, meddyliodd wrth dynnu dwy sleisen o'r bag, eu harchwilio am lwydni a'u rhoi yn y peiriant tostio. Roedd y ffaith fod ganddo fenyn a marmalêd yn destun llawenydd, bron. 'Llefrith hefyd,' meddai a thinc o goegni yn ei lais. 'Ar ben fy nigon!' Gwasgodd fotwm y tegell.

Daeth tinc tawel yn dynodi bod neges wedi dod i'w ffôn symudol ac ymbalfalodd ym mhoced ei drowsus am y teclyn. Tecst am saith o'r gloch y bore? Pwy aflwydd . . .?

Agorodd y ffôn a gweld mai Lois, ei ferch, oedd wedi anfon y neges.

Haia Dad. Jest i ddweud mod i ar y ffordd i'r Great Barrier Reef heddiw. Cael amser sbiffo. Popeth yn iawn gyda ti?

Fu Lois erioed yn fawr o un am gadw trac ar amser. Gallai ei gweld yn eistedd mewn bar yn llawn o gyd-deithwyr yn Brisbane yn penderfynu cysylltu heb feddwl am yr amser gartref. 'Doethineb heb owns o synnwyr cyffredin' oedd ei ddisgrifiad serchog ohoni.

Sbiffo yma hefyd am 7 y bore! Watsia'r siarcod! tecstiodd yn ôl.

Neidiodd y tost o'r peiriant. Teimlai unigrwydd mawr wrth daenu'r menyn dros y bara a throi'r siwgr yn ei gwpan. Yfodd ei de'n gyflym. Roedd y dyrnu yn ei ben yn dechrau pylu o leiaf, a bwytodd y tost a'r marmalêd ag awch.

Doedd effaith meddwol wisgi neithiwr ddim wedi ei adael yn llwyr, a theimlai ychydig yn simsan o hyd.

Gorffennodd ei de, cerdded i'r ystafell wely a disgyn yn swp ar y gwely.

*   *   *

Roedd hi'n naw y bore arno'n deffro'n teimlo'n syndod o iach a'r simsandod wedi diflannu.

'Thâl hyn ddim o gwbwl, Goss! Sewin, dwi'n meddwl,' meddai wrtho'i hun a thinc positif yn ei lais wrth gerdded i gyfeiriad yr ystafell ymolchi.

Ymhen hanner awr roedd wedi golchi'r llestri, tacluso'r ystafell a gwneud ei wely. 'Yn haeddu sigarét, dwi'n meddwl,' meddai, a chamu allan i ardd gefn y fflat i danio un. Teimlai nad oedd am halogi'r glendid a greodd yn y fflat. Chwythodd y mwg glas i'r aer llonydd. Roedd hi'n mynd i fod yn boeth, ond bu cawodydd trymion dros nos a byddai'n werth chweil mynd i bysgota.

Cyrchodd ei offer o gornel y lolfa ac agor y blychau plu fesul un. Roedd bob amser yn rhyfeddu at eu harddwch. Caeodd nhw a'u rhoi 'nôl yn y bag yn ofalus. Cododd y ril pysgota plu a'i hanwesu. Gwelodd fod ganddo ddigon o lein denau i glymu'r plu wrth y lein drom ar y ril. Roedd eisoes wedi dewis ei bluen ar gyfer y diwrnod, un addas ar gyfer yr adeg hon o'r flwyddyn. Caeodd y bag, dewis ei hoff wialen, oedd yn sefyll yn y gornel ger y drws, a chamu i wres y bore. Gwyddai fod ei welingtons pysgota'n barod yng nghist y car.

O fewn hanner awr roedd yn troi ei gar i faes parcio'r Berig. Talodd y ffi i'r swyddog. 'Ble mae prynu hawl pysgota?' holodd y swyddog yn ei grys-T coch llachar, a 'Y Berig, Nefoedd ar y Ddaear' yn fawr arno.

'Yn Fferyllfa'r Frân, yn y stryd nesa,' meddai hwnnw'n hwyliog.

Cododd Goss o'r car. Byddai brecwast yn neis, ond tro bach rownd y lle gyntaf, meddyliodd, a chloi drws y car.

Chawsai e fawr o reswm i ymweld â'r Berig dros y blynyddoedd am mai prin fu'r angen am ymyrraeth yr heddlu yno. Er hynny, roedd wedi taro draw o bryd i'w gilydd, a rhyfeddu'n ddiweddar at y datblygu diddiwedd a'r nifer gynyddol o ymwelwyr. Roedd swyddogion wrth ddrysau'r tafarnau i rwystro unrhyw gamymddwyn. Roedd swyddogion traffig, diogelwch a glanwcithdra ym mhobman i sicrhau bod y Berig i'w weld yn ddelfryd o le. Sylwodd fod ambell gamera diogelwch yn llechu mewn cilfach yma ac acw hefyd. Synnodd o weld bod bron pob camera fel pe bai'n edrych arno ef. Cyd-ddigwyddiad efallai?

Roedd popeth yn daclus, popeth yn chwaethus, yn asio'n berffaith â naws hynafol y lle. Roedd y tai wedi eu hadnewyddu bob un, a dim adfail i'w weld yn unman. Roedd eiddew'n tyfu ar hyd y waliau a photiau blodau ym mhobman.

Synnai gymaint o Gymraeg a glywai. Er mai rhifau cofrestru o bell oedd ar y ceir yn y maes parcio, sylwodd fod pob un o'r ceir o flaen y tai a'r fflatiau â rhif cofrestru yn dechrau â'r llythyren C, ac o edrych yn fanylach ar y sticeri yn y ffenestri cefn, prynwyd pob un ohonynt o garej Ceir y Berig. Roedd yr enw'n mynd yn dipyn o frand, meddyliodd: ceir, llaeth, caws, dŵr, gwyliau, cwrw, a sôn bod wisgi ar y ffordd hefyd.

Pasiodd heibio i swyddfeydd oedd wedi eu lleoli mewn cyfres o fythynnod a addaswyd yn chwaethus mewn sgwâr bychan ar ei ffordd at y cei gerllaw. Dim ond un enw oedd ar y wal y tu blaen iddynt. Daliadau'r Berig.

Roedd y swyddfeydd yn brysur, a barnu wrth nifer y ceir oedd wedi eu parcio'r tu allan.

Roedd capel yng nghanol y pentref, a hwnnw hefyd yn drwsiadus ac wedi ei foderneiddio'n ddiweddar, a mynedfa wydr i gyfarch yr addolwyr. Roedd llun o'r Parchedig Selwyn James ar yr hysbysfwrdd y tu allan. Adnabu Goss yr wyneb o'r teledu, ac yntau wedi dod yn dipyn o seléb yn y cyfryngau. Roedd siart yn dynodi digwyddiadau'r wythnos, a Chymanfa Ganu Ryngwladol yn un o'r rhai i ddod, ac roedd hefyd yn brolio nifer yr aelodau. Roedd hwnnw newydd groesi'r mil, yn ôl y siart.

Doedd y promenâd ddim yn un hir, ond crymanai'n ddeniadol i gyfeiriad y cei, lle roedd nifer o gychod drud yr olwg. Wrth gerdded yn hamddenol i chwilio am frecwast, sylwodd Arthur ar y nifer o ddatblygiadau chwaethus a gawsai eu hadeiladu yn gyfochrog â Thafarn yr Heli, oedd ar ben pellaf y promenâd: arddangosfa ac oriel gelf, tafarn goffi o'r enw Hoffi Coffi a Bwyty'r Ddafad Gorniog, y ddau le'n brolio'u defnydd o gynnyrch lleol organig. O ben y clogwyn, roedd Gwesty'r Graig yn goruchwylio'r cyfan, a lawntiau cymen y cwrs golff o'i amgylch.

Wrth iddo gerdded, sylwodd ar ddyn â gefel ddolen hir yn llowcio pob darn bychan o sbwriel i fag, a dyn arall ar dractor yn tacluso'r tywod ar ôl ymwelwyr y diwrnod cynt.

Ar ôl iddo gyrraedd y cei, daeth cwch hwyliau hynafol i'r golwg, cwch oedd yn llechu yng nghysgod Tafarn yr Heli. Roedd yn amlwg fod gwaith atgyweirio trwyadl ar droed arno.

'Be maen nhw'n mynd i'w wneud efo'r cwch?' holodd y dyn â'r efel.

'Restront arall, fi'n meddwl,' atebodd yntau a pharhau i gasglu sbwriel.

Roedd y stryd gefn yr un mor chwaethus; yno roedd banc, amryw siopau anrhegion, artistiaid yn creu gemwaith a brodwaith, archfarchnad fechan o'r enw Mart y Frân a'r fferyllfa. Roedd ambell far a chaffi a byrddau dan gysgod yn ymestyn i'r stryd ddi-drafnidiaeth, yn ogystal ag asiantaeth gwerthu tai. Sbeciodd yn y ffenest ar luniau'r fflatiau a'r bythynnod. Synnai nad oedd yr un ohonynt ar werth, ac mai i'w rhentu yr oedden nhw i gyd.

Trodd i gyfeiriad y fferyllfa i brynu ei hawl pysgota.

Roedd beic modur newydd y tu allan i'r adeilad hynafol yr olwg, ond roedd y tu mewn yn fodern. Roedd cownter a phared y tu ôl iddo lle gweithiai'r fferyllydd yn ddygn yn paratoi cyffuriau i gleifion y fro. Daeth merch siriol i'w gyfarch.

'Alla i'ch helpu chi?' meddai gan wenu.

'Sut oeddech chi'n gwbod 'mod i'n siarad Cymraeg?' holodd Goss yn syn.

'Doeddwn i ddim, ond *ry'ch* chi'n siarad Cymraeg, felly does dim rhaid troi i'r Saesneg, nag oes, syr?'

'Wrth gwrs,' atebodd Goss. 'Mae pobl yn dweud wrtha i mai yma mae prynu hawl pysgota ar afon Igwy.'

'Hawl diwrnod neu fwy, syr?'

'Jest am heddiw. Fe gawn ni weld sut yr aiff pethe cyn prynu mwy.'

'Iawn. Chi ddim yn lleol, syr?'

'Pa mor lleol ydy "lleol"?'

'O'r Berig.'

'Nac ydw, 'te.'

'Ugain punt, syr,' meddai wrth estyn llyfryn o drwyddedau o silff dan y cownter.

'Pa wahaniaeth fyddai bod yn "lleol" wedi ei wneud?'

'Pumpunt, syr. Enw?'

'Goss. Arthur Goss.'

Cododd y fferyllydd y tu ôl i'r pared ei ben i edrych ar y cwsmer newydd

'Dyma chi,' meddai'r ferch, gan rwygo darn papur o'r llyfr a'i gyflwyno i Goss. 'Oes angen unrhyw offer pysgota arnoch chi? Mae gyda ni stoc eitha da,' meddai, wrth gyfeirio at ran o'r siop a neilltuwyd ar gyfer offer pysgota.

'Na, dim diolch; rywbryd eto falle,' meddai Goss yn gwrtais. 'Brecwast yn Hoffi Coffi ydy'r unig beth sy ar fy meddwl i ar hyn o bryd.'

Diolchodd ac ymadael.

*   *   *

Roedd sawl un yn mwynhau brecwast yn y caffi'r bore hwnnw. Roedd nifer o bobl leol, pâr o adaryddion a'u cyfarpar, a charfan o bysgotwyr o Loegr yn aros i'r llanw droi fel y gallen nhw fynd ar drip pysgota yn un o'r cychod y gellid eu llogi o'r cei. Am griw o ddynion oedd ar sbri, roedden nhw'n syndod o dawel a di-hwyl. Doedden nhw ddim yn edrych fel fawr o bysgotwyr chwaith, ond pwy a ŵyr, meddyliodd Arthur.

Mwynhaodd ei frecwast a gorffen ei de cyn codi i dalu. Roedd menyw leol o'i flaen wrth y til. Sylwodd iddi ddangos cerdyn i'r gŵr ifanc y tu ôl i'r cownter.

'Brecwast llawn a the, Mrs Davies?' Nodiodd hithau.

'Pedair punt pum deg, os gwelwch yn dda.' Rhoddodd Mrs Davies yr arian iddo gyda diolch a mynd ar ei hynt.

Camodd Arthur yn ei flaen i dalu. 'Brecwast llawn a the?' holodd y gŵr ifanc eto.

'Ie,' meddai Arthur gan chwilio yn ei boced am yr arian.

'Chwe phunt, syr,' meddai'r gŵr ifanc.

'Sut hynny?' holodd Arthur. 'Nid dyna a dalodd hi,' gan gyfeirio at y fenyw oedd newydd adael.

'Disgownt i bobol leol, chi'n gweld. Un o'r *perks* o fyw yn y Berig.'

'O, wela i,' meddai Arthur wrth iddo dalu.

Wedi iddo gyrraedd yr awyr iach, taniodd sigarét yn fyfyrgar. Cerddodd yn ôl i gyfeiriad ei gar yn y maes parcio, a chafodd rywfaint o bleser o ddiffodd ei sigarét ar lawr yn frych ar lendid y promenâd.

*   *   *

'Arthur Goss? Be gythrel mae *e*'n ei wneud yma?'

'Pysgota, Nhad,' meddai llais Carwyn i lawr y ffôn. Roedd Gruffudd wedi deffro o'i gyntun boreol yn un o gadeiriau moethus y tŷ gwydr.

'Sut wyt ti'n gwybod?'

'Wel, fe ddaeth e i mewn i'r siop i brynu trwydded.'

'Jest wedi dod i bysgota?'

'Mae'n cael brecwast yn Hoffi Coffi ac wedyn mynd i bysgota.'

'O, dwi'n siŵr. Anfon rhywun i'w ddilyn e cyn iddo chwalu popeth.'

'Iawn, Nhad,' ac aeth y ffôn yn farw.

'Arthur Goss? Pwy yw'r Arthur Goss yma?' daeth llais benywaidd o'r tu ôl iddo.

'O, dim ond rhyw blismon sy'n dipyn bach o boen yn y pen-ôl i ni ar hyn o bryd. Dim byd i ti boeni amdano.'

'Ym mha ffordd?'

'Mae e'n mynnu gwneud môr a mynydd o achos y dyn 'na fu farw yn y garafán y noson o'r blaen, peth ofnadwy o anghyfleus. Dyw e ddim yn ffito i'r darlun mawr, os wyt ti'n deall beth wy'n feddwl.'

'O, ydw, Nhad. Ydw.' Bu tawelwch am ychydig tra gwyliai Gruffudd y cychod pysgota cimychiaid yn symud o belen oren i belen oren a ddynodai leoliad pob cawell. 'Ife'r un Arthur Goss â hwnnw oedd yn yr ysgol 'da fi 'slawer dydd yw e, tybed?' meddai Branwen yn sydyn.

'Eitha tal, eitha golygus, tua hanner cant erbyn hyn?'

'Ti'n ei adnabod e?'

'Ydw, os taw'r un un yw e. Roedd e rywfaint yn hŷn na fi,' meddai. 'Symud i'r ysgol o rywle yn y gogledd. Roedd e yn y chweched dosbarth a fi yn nosbarth pedwar. Roedd 'bach o *crush* 'da sawl merch arno. Tipyn o rebel. Tipyn o *loner* hefyd. Brêns yn dod mas o'i glustie fe. Yr athrawon i gyd am iddo fynd i'r brifysgol. Mae ei frawd yn ddarlithydd hanes yn Abertawe. I'r heddlu aeth e? Wel, wel. Mwy o frêns yn ei fys bach na'i frawd.'

'Diddorol!' meddai'r hen ŵr yn fyfyrgar a throi'n ôl i edrych dros y môr.

'Mi briododd e Gloria. Yr un flwyddyn â fe yn yr ysgol. Merch bert iawn. Aeth hi i ffwrdd i Gaerdydd i'r brifysgol. Ddim y matsh delfrydol!'

'Greda i. Maen nhw ar ganol ysgariad ar hyn o bryd,' meddai Gruffudd â gwên.

'Chi'n gwybod lot am ei hanes e,' ymatebodd Branwen.

'Sdim llawer nag wy'n ei wybod. Rydw i'n Gadeirydd ar Bwyllgor yr Heddlu, cofia.'

'Mae'n siŵr y gwela i e ar hyd glan yr afon ar y ffordd 'nôl i'r bwthyn. Os yw e wedi gorffen ei frecwast, hynny yw!'

'Efallai wir,' oedd unig ateb Gruffudd wrth iddo barhau i edrych trwy ei ysbienddrych.

'Mi ydw i wedi gorffen y gwaith *conveyance* ar gyfer y ddau fwthyn yna, fwy neu lai. Oedden nhw'n werth y pris yna, gwedwch?' holodd Branwen.

'Beth yw pris sicrhau'r ddelfryd?' meddai Gruffudd a throi i edrych ar ei ferch. Tawodd hithau, gan sylweddoli nad oedd pris dau fwthyn ond cornel fechan o'r 'darlun mawr', chwedl ei thad.

*   *   *

Roedd hi'n tynnu at ganol dydd erbyn i Arthur gyrraedd glan yr afon.

Dewisodd lecyn cysgodol, tawel i osod ei fag i lawr, rhyw chwarter milltir o'r fan lle parciodd ei gar, a phrysuro i baratoi ei wialen. Diolchai nad oedd unrhyw un arall wedi cael yr un syniad ag ef i ddod i'r fan hon. Câi heddwch.

Ni wyddai pam roedd gosod ril ar y wialen yn weithred a roddai gymaint o bleser iddo. Bwydodd y lein trwy lygaid y wialen, a'r ril yn canu grwndi'n ufudd wrth lacio, a gosododd un o'r leiniau tenau ar ei phen yn gelfydd â bysedd hyblyg pysgotwr profiadol. Agorodd y blwch plu a dewis dau 'fwtsher': plu o liw du a choch i smalio mai pysgod bychain wedi eu hanafu oedden nhw. Clymodd y ddau'n ofalus ar y lein, y naill ar y pen a'r llall ar y tennyn oedd wedi ei gysylltu â'r lein yn bellach yn ôl ar ei hyd.

Tynnodd ei welingtons pysgota hir am ei goesau, gwisgo'i het rhag gwres yr haul, camu i'r afon ac ymlwybro i'w chanol. Doedd y llif ddim yn gyflym yn y rhan hon o'r afon oherwydd ei dyfnder. Sadiodd ei hun, a'r dŵr bron dros ymyl ei welingtons, yn wynebu yr un ffordd â'r llif. Dyma lle llechai sewin wedi dychwelyd o'u taith dros y môr i baratoi am eu taith i fro eu mebyd ymhellach i fyny'r afon.

Chwipiodd y wialen deirgwaith i dynnu digon o lein o'r ril, a gosod y bluen yn gelfydd ar wyneb y dŵr, ddeg llath ar hugain oddi wrtho. Roedd y coed y gallai'r plu fachu ynddynt yn ddigon pell oddi wrtho yn y fan hon. Gwyliodd y lein yn disgyn yn raddol dan wyneb y dŵr, a'i thynnu'n raddol i mewn. Dim brathiad y tro hwn.

Chwipiodd y lein eto a gollwng y plu yn yr un fan. Dim lwc eto. Dydy'r haul ddim yn codi archwaeth ar sewin, meddyliodd, ond roedd cwmwl haf yn agosáu i guddio hwnnw, a daeth chwa o wynt i anesmwytho wyneb y dŵr. Efallai byddai gwell siawns nawr, a chwipiodd eto.

'Dim lwc?' Daeth llais benywaidd o'r tu ôl iddo.

'Ddim eto,' meddai, heb droi ei ben i gyfeiriad y llais.

'Arthur Goss, ife?' meddai'r llais eto.

Synnodd Goss fod unrhyw un wedi ei adnabod, a'i het yn cuddio'i wyneb bron yn llwyr. Trodd i wynebu'r llais, yn dal i ddirwyn y lein trwy'r dŵr, a gweld menyw bengoch a chi ar dennyn yn edrych arno o'r lan.

'Ti ddim yn fy nghofio fi, wyt ti? Dydy disgyblion hŷn byth yn cofio'r disgyblion ifancach.'

'Branwen, merch Gruffudd ap Brân, os ydw i'n iawn.' Trodd oddi wrthi i chwipio'r dŵr eto. 'Yn ôl ar wyliau? Mi glywais i dy fod di wedi symud i Lundain.'

'Wedi symud yn ôl. Ysgariad a phethau felly. Angen ailwerthuso, math o beth.'

'O,' meddai Goss. 'Mae'r clwyf yna'n effeithio arnon ni i gyd y dyddiau yma.'

Aeth y cwmwl dros yr haul a daeth brathiad yn syth. Plygodd y wialen yn sylweddol gan awgrymu pysgodyn o faint. Rhuai'r ril wrth i'r pysgodyn ymladd a thynnu'r lein ohoni. Gostegodd Arthur y llif â'i fys a phlygodd y wialen eto. Gadawodd Arthur i'r pysgodyn redeg oddi wrtho a'i dynnu'n ôl ato eto'n raddol sawl gwaith. Yn sydyn, trodd y pysgodyn i gyfeiriad ochr arall yr afon, yn anelu am gilfach o ddŵr cysgodol y tu ôl i foncyff, ond llwyddodd Arthur i'w rwystro. Byddai'r lein denau wedi torri petai'r pysgodyn wedi llwyddo i gyrraedd ei loches. Tynnodd Arthur yn ofalus ar y lein pan deimlodd eiliad o flinder yn y creadur, ond dadebrodd hwnnw'n sydyn a neidio'n ddramatig o'r dŵr. Moment fer o wrthryfel oedd hi er hynny. Roedd y frwydr ar ben, a thynnodd Arthur y pysgodyn lluddedig yn agosach ato.

Gafaelodd Arthur yn y rhwyd oedd dros ei ysgwydd, ei gosod yn y dŵr o dan y pysgodyn, a chodi'r creadur i fyd dieithr yr awyr iach. Camodd i'r lan at Branwen, oedd yn curo'i dwylo'n werthfawrogol o'r orchest, a'r sbaniel yn prancio wrth ei hochr yn llawn cyffro.

'Dydy menywod ddim bob amser yn dod â lwc ddrwg i'w canlyn, felly,' meddai wrth osod y pysgodyn ar y llawr o'i blaen.

'Faint yw ei bwysau?' holodd hi.

'Rhyw bedwar pwys, ddwedwn i.'

'Mae brithyllod yn hardd, on'd y'n nhw?'

'Nid brithyll yn union.'

'Beth 'te?'

'Sewin.'

'O,' meddai hi. 'Beth yw'r gwahaniaeth?'

'Ddim llawer,' atebodd Arthur, gan dynnu'r bachyn o geg y pysgodyn. 'Maen nhw'n dweud i mi mai brithyllod cyffredin yden nhw yn y bôn, ond eu bod nhw wedi penderfynu gadael yr afon i weld y byd am ryw reswm. Maen nhw'n newid cryn dipyn tra maen nhw i ffwrdd.

Maen nhw'n dipyn glasach na brithyllod cyffredin sy wedi aros adre, ac mae eu cig nhw'n gochach ar ôl bwydo'n fras yn y môr mawr am flwyddyn neu ddwy.'

'Pam maen nhw'n dod 'nôl?' holodd Branwen wedyn.

'Falle 'u bod nhw eisiau "ailwerthuso",' meddai Arthur a chodi ei olygon â gwên gellweirus. 'Wyt ti'n lecio pysgod?'

'Ydw,' meddai hithau.

Cyflwynodd y pysgodyn iddi. 'Hoffet ti gael hwn?'

'Wel, ym . . . hoffwn.'

'Paid â sbio, 'te,' meddai Arthur wrth estyn i'w boced am bastwn bychan i fwrw'r pysgodyn ar ei ben.

Cyn iddo gyflawni'r weithred olaf i'r creadur, ychwanegodd Branwen yn sydyn. 'Ar un amod – y doi di i'w fwyta fe gyda fi. Does dim i'n rhwystro ni, nag oes?'

'*Deal*,' meddai Arthur a disgynnodd y pastwn. 'Throist ti mo dy ben,' meddai wedyn.

'Efallai 'mod i wedi bod ar foroedd breision, ond merch cefn gwlad ydw i yn y bôn.'

Lapiodd Arthur y pysgodyn mewn bag plastig o'i fag pysgota, a derbyniodd hithau'r rhodd â chyrtsi cellweirus cyn troi i ymadael.

'Pryd a ble?' holodd Arthur ar ei hôl.

'Nos yfory draw fan 'na. Hanner awr wedi saith,' meddai, a phwyntio at fwthyn chwaethus, hynafol yr olwg, rhyw hanner milltir i fyny'r afon, cyn diflannu rhwng y perthi ar hyd y llwybr. Edrychodd Arthur yn syn ar ei hôl.

Daeth cwpwl ar gefn ceffylau heibio iddo ar hyd y llwybr.

'Wedi dal unrhyw beth?' holodd y fenyw.

'Ddim yn siŵr,' atebodd Arthur yn fyfyrgar.

Pennod 8

A hithau'n ddiwedd mis Awst, roedd min ar y nosweithiau, yn arbennig os oedd rhywun yn eistedd mewn cae y tu ôl i wrych ar waith *surveillance*.

Tra oedd Goss yn ymbincio i fynd i'w oed, roedd gwaith Pricc eisoes wedi dechrau. Cyfarfu Laccy, ei bartner newydd, ychydig yn gynharach, gŵr ifanc di-fflach o'r Barri, yn union fel y dychmygai y byddai aelod o'r Special Branch. Roedd hwnnw'n gamerâu i gyd, a doedd ei sgwrs yn mynd fawr pellach. Roedd gan Lacey dreipod a chamera arno, a'r lens hir yn pwyntio trwy'r gwrych i lawr o'r bryncyn at Hufenfa'r Berig, a bagiaid o dranglins ffotograffiaeth. Roedd Price wedi dod yn hyddysg iawn heno yn holl gryfderau camera SLR digidol, ynghyd â'r lens arbenigol a'i rhagoriaeth ar gyfer tynnu lluniau yn y tywyllwch, er mai prin roedd ei hangen gyda llifoleuadau'r ffatri yn gwneud ynys o olau fel dydd islaw. Roedd gwylanod afreolus yn hedfan yn swnllyd o amgylch y goleuadau.

*   *   *

Doedd mynd ar ddêt ddim yn brofiad cyfarwydd i Arthur Goss ers dyddiau ei lencyndod. Nid oedd yn hollol siŵr sut i baratoi na sut i ymddwyn. Cofiai iddo ymgyfarwyddo a'r broses dros gyfnod, ond er ei fod yn llanc golygus, eithaf nerfus fu e erioed gyda merched, yn arbennig merched hynod ddeniadol. Teimlai bob amser braidd yn lletchwith ac aflêr yn eu hymyl. Roedd Branwen yn sicr yn un o'r rheini.

Ers yn llanc, ni wyddai pa mor eofn y dylai fod. A fyddai bod yn rhy eiddgar yn debygol o bechu neu, ar y llaw arall, a fyddai rhy ychydig o frwdfrydedd yn siomi, efallai? Er ei fod yn tynnu at ei hanner cant, nid oedd fawr callach. Efallai mai cael pryd o fwyd a dim mwy oedd bwriad Branwen.

Roedd rhan ohono hyd yn oed yn amau'r gwahoddiad yn y lle cyntaf. Gallai ei weld ei hun yn sefyll ar garreg drws ei bwthyn yn ei lifrai gorau'n sglein i gyd, a hithau wedi anghofio'r cyfan am y gwahoddiad, ac yntau'n edrych yn hynod dwp o awyddus. Ond roedd rhan arall ohono'n dawnsio. Roedd hi'n rhan nad oedd wedi dawnsio ers blynyddoedd maith.

Daeth neges destun i'w ffôn. Lois.

Haia. Ynys Whitsunday yn sbiffo. Sut wyt?

Sbiffo hefyd – wedi dal pysgodyn ddoe, ymatebodd.

Sbiffo daeth yr ymateb eto, a gwenodd Arthur.

Roedd wedi golchi ei wallt, ei glustiau a rhwng bysedd ei draed; roedd e mor lân nes roedd e'n gwichian. Roedd wedi dewis ei ddillad yn ofalus hefyd.

'Dyna ni, yn barod. Wel, mor barod ag y byddi di fyth,' meddai wrtho'i hun yn y drych. Tynnodd ei fol i mewn a'i ollwng eto. 'O wel! Sneb yn berffaith!' ychwanegodd ag ochenaid. Cododd ei becyn sigaréts a thynnu un allan. Oedodd cyn ei thanio. 'Be os . . . O wel . . .' Rhoddodd fflam ar ei phen a thynnu'r mwg yn ddwfn. 'Yr un olaf am lwc.' Edrychodd ar ei wats, gwisgo'i siaced amdano a throi am y drws. Cododd y botel o win gwyn drud oedd ar y silff ger y drws ac anelu am y car, gan daflu gweddill ei sigarét i'r draen ar ei ffordd. Ar ôl eistedd yn y car, chwythodd wynt o'i fochau i geisio cael gwared ar yr arogl mwg fyddai ar ei anadl ac ailsefydlu ei gydbwysedd mewnol. 'Cŵl, Goss, cŵl!'

*   *   *

Wrth iddo yrru'n hamddenol ar hyd y lôn, roedd hen chwilen yn corddi yn ei grombil a'r amheuon yn casglu. Dyma fo ar ei ffordd am bryd o fwyd gyda merch y dyn y tybiai oedd yn gyfrifol am ei wyliau gorfodol. Roedd yn gyrru i ganol yr union leoliad y bwriadwyd i'r gwyliau ei gadw oddi wrtho yn y lle cyntaf, a hynny ar wahoddiad merch y pen bandit ei hun, a hwnnw'n digwydd bod y dyn mwyaf grymus yn yr ardal. A wyddai ap Bran am eu hoed, tybed?

Nid oedd wedi siarad â hi am fawr mwy na deng munud cyn derbyn y gwahoddiad. Nid ystyriai ei hun yr hync mwyaf deniadol yng Nghymru, ac roedd ar ei ffordd i gwrdd â menyw oedd yn dipyn o bishyn. Pam y fo? Roedd y peth yn dechrau edrych yn ofnadwy o annhebygol. 'O wel, *what the hell!*' meddai dan wenu, a gwasgu ychydig yn galetach ar sbardun y car.

Roedd rhywbeth arall yn ei boeni hefyd, rhywbeth na fynnai gyfaddef wrtho'i hun bron, os oedd y berthynas am flodeuo. Nid oedd llawer o 'flodeuo' wedi bod yn ei berthynas â Gloria yn y blynyddoedd cyn eu hysgariad. Bu hynny'n rhan o'r rheswm pam yr ymbellhaodd y ddau oddi wrth ei gilydd. Ni wyddai Arthur yn iawn p'un ai diffyg awydd neu allu oedd y broblem, ond braidd yn ddilewyrch fu'r 'blodau'.

*   *   *

Doedd dim rhaid iddo fynd trwy'r Berig i gyrraedd y bwthyn, a darganfu'r lôn ato'n ddigon hawdd. Agorodd y gât wrth yr arwydd Llys Adar. Roedd y bwthyn yn llechu mewn coedlan gudd uwchlaw'r afon, yn llygad yr haul wrth iddo fachlud, a daeth i olwg Arthur wrth iddo yrru ar hyd y lôn, heibio i bedwar ceffyl praff a ddaeth i'w wylio dros glawdd cae cyfagos.

Parciodd y car o dan y coed y tu ôl i'r bwthyn. Cydiodd yn y botel a chamu tuag at y drws cefn. Roedd Branwen wrth y drws cyn iddo gyrraedd. Roedd ei harddwch yn syfrdanol, yn osgeiddig a rhywiol yr un pryd. Roedd ei dillad yn chwaethus ac yn ddethol. Daeth yr hen deimlad o letchwithdod drosto.

'Helô,' meddai braidd yn llywaeth.

'Helô,' ymatebodd hithau â gwên ddireidus. 'Dere mewn.'

Roedd gwydraid o win yn ei llaw, a chyflwynodd ef i Arthur. Derbyniodd yntau'r gwydr a chynnig ei botel win iddi hithau. 'Yr heliwr nid yn unig yn dod â'r pysgod, ond y gwin hefyd? Doeddwn i ddim yn siŵr a fyddet ti'n dod,' meddai hi.

'Doeddwn i ddim yn siŵr a fyddet ti'n cofio.' Gwingodd Arthur mewn cywilydd o'i sylw. Ddim cweit yr ateb iawn, meddyliodd. 'Mi ydw i wedi golchi tu ôl i 'nghlustie,' ychwanegodd wedyn.

'Finne hefyd,' meddai hithau. 'Dere i'r gegin.'

Roedd ganddi'r gallu i drin pobl, meddyliodd Arthur, y gallu i fod yn ymwybodol o bryderon a'u lleddfu â'i doethineb morwynol. Roedd chwithdod Arthur yn toddi yn ei llewyrch wrth iddo'i dilyn trwy'r cyntedd.

'Meddwl yr hoffet ti fynd am dro cyn bwyta,' meddai hi.

'Swnio'n iawn i mi.'

'Mi ro i'r pysgodyn yn y ffwrn nawr, a bydd e'n barod pan ddewn ni 'nôl. Sut wyt ti gyda cheffylau?' meddai, wrth blygu at y ffwrn.

'Profiad helaeth o fulod ar y traeth yn y Rhyl,' atebodd Arthur.

'Prentisiaeth dda, 'te. Jest bod yn rhaid tywys y ceffylau'n ôl i'r stabl cyn iddi nosi. Fe allwn ni fynd ar hyd glan yr afon. Rwyt ti'n hoffi'r dŵr, os wy'n cofio.'

Gwyddai hi'n iawn y byddai gwneud rhywbeth yn haws i dorri'r garw nag eistedd a mân siarad.

'Iawn gen i,' meddai Arthur, a cherdded heibio'r bwrdd i ddau oedd wedi ei osod yn y tŷ gwydr ar flaen y bwthyn, ac allan i'r awyr iach. Roedd rheolaeth sicr ganddi dros y sefyllfa, a allai fod wedi bod yn lletchwith. Cododd hithau bedwar tennyn o'r wal y tu allan, a throi i gyfeiriad y ceffylau.

Prin roedd angen galw arnyn nhw, a daeth y pedwar yn ufudd at y gât. Camodd hithau i'w canol. Roeddent yn amlwg yn gyfarwydd â hi, a hithau'n feistres ar eu trin. Rhwymodd dennyn ar ffrwyn pob un a chynnig dau ohonynt i Arthur. Derbyniodd yntau.

'Yn CID ydw i cofia, ddim yn y Mounties.'

'Rwy'n siŵr yr edrychwn ni ar ôl Arthur, yn gwnawn ni, ferched?' meddai Branwen wrth y pedair caseg.

'Be, cesyg i gyd?'

Gwenodd Branwen.

*   *   *

Roedd y daith ar hyd glan yr afon yn bleser pur i Arthur. Roedd yr anifeiliaid yn fodd o esmwytho perthynas a hyrwyddo ymgom. O fewn hanner awr o loetran gyda'i gilydd, roedd rhannau dethol o hanes y ddau wedi cael eu cyfnewid, a'r ddau'n ofalus i beidio â gorlwytho gwybodaeth mewn ffordd fyddai'n feichus i'r llall.

'Well i ni fwyta'r pysgodyn yna cyn iddo fynd yn grimp yn y ffwrn,' meddai Branwen, a throi'n ôl i gyfeiriad y tŷ. Roedd Arthur wedi anghofio am fwyd yn gyfan gwbl, a cherddodd fel bachgen ifanc gyda'i gariad cyntaf i gyfeiriad y stablau. Ni allai gofio noson yn ei fywyd pan gafodd gymaint o fodd i fyw. Roedd y lleoliad, yr achlysur, y cwmni a hyd yn oed y tywydd, fel petaent wedi eu cynllunio i danio pob nerf yn ei gorff. Dwysawyd ei bleser gan y ffaith ei bod hithau fel petai'n mwynhau cymaint ag yntau.

Rhoddwyd y ceffylau yn eu stablau a throwyd at y pryd.

*   *   *

Bwytaodd y ddau'r pysgodyn, gan chwerthin a chellwair a mwynhau. Nid yfodd Arthur lawer, er i Branwen yfed diferyn mwy. Roedd yr haul wedi hen fachlud a'r golau isel yn y tŷ gwydr yn llewyrch i'r ardd o flaen y bwthyn.

'Ti'n gwybod beth,' meddai hi'n sydyn, a golwg ddwys ar ei hwyneb. 'Mae'n rhaid i mi gyfadde rhywbeth wrthot ti.' Oedodd am ennyd. 'Wy ddim moyn i ti feddwl yn ddrwg ohono i.'

'A be ydy hwnnw?' holodd Arthur

'Mi fydden i'n lladd am sigarét!'

'Blydi hel!' meddai Arthur, 'a finne'n meddwl na allai pethe fynd yn ddim gwell.' Aeth i'w boced a thynnu'r pecyn ohoni. 'Finne'r un fath. Trio rhoi'r gora iddi, ond yn methu.'

Cododd Branwen y botel i arllwys mwy o win i wydr

Arthur. Rhoddodd yntau ei law drosto. 'Dwi'n dreifio,' meddai.

Tynnodd hithau ei law i ffwrdd ac arllwys. 'Does dim rhaid i ti fynd, ti'n gwybod.'

Edrychodd Arthur i fyw ei llygaid am yn hir cyn dweud, 'Mae'n well i ni gael sigarét i feddwl am hyn.' Chwarddodd y ddau a chodi. Aeth Arthur â'r gwydr llawn gydag ef i'r ardd.

Cusanodd y ddau'n hir a blysiog o dan y lleuad, a daenai ei olau arian, hudol drostynt. Ers ei blentyndod, bu Arthur yn ddrwgdybus iawn o berffeithrwydd, a gwelsai ddigon o amherffeithrwydd yn ei waith a'i fywyd i gyfarwyddo ag ef. Doedd dim lle i berffeithrwydd yn ei fywyd bellach, ond yn sydyn dyma fe'n ei wynebu, ac roedd am fwynhau pob eiliad tra parai.

*   *   *

Roedd llifoleuadau'r ffatri'n dal i oleuo'r tywyllwch, ac roedd y lle'n fwrlwm o lorïau'n llawn llaeth yn barod am eu teithiau nosweithiol i bedwar ban. Roedd enw Hufenfa'r Berig yn amlwg ar bob un ohonynt. Roedd llaeth y sir a thu hwnt bellach yn llifo drwyddi.

Tynnai Lacey lun pob gyrrwr wrth iddo gyrraedd a gadael yn ei lorri. Roedd deuddeg lorri yn yr iard ac roedd saith wedi gadael cyn iddo ddweud '*Hey up!*'

Cyfeiriodd Price ei ysbienddrych trwy dwll cyfleus yn y gwrych, a gweld lorri Teiars Glan y Môr yn dod i mewn i'r iard. Roedd craen bychan ar ei chefn er mwyn codi'r olwyn sylweddol a orweddai ar lawr y lorri. Arhosodd wrth olwynion ôl un o'r lorïau llaeth. Daeth gŵr cyfarwydd yr olwg i Price allan ohoni. Ble roedd e wedi'i weld e o'r blaen? Cofiodd yn sydyn mai hwn oedd y dyn wrth y bandit yn y bar yng ngwersyll carafannau'r Berig. Bu Goss yn siarad ag e – beth ddiawl oedd ei enw? Roedd yn un anghyffredin . . . Emlyn? Ensyl? Nage, Elystan, dyna fe!

'Wy'n 'i nabod e,' meddai'n dawel. Ni ddaeth ymateb gan Lacey. Roedd hwnnw'n gwasgu botwm ei gamera'n ffyrnig.

Aeth Elystan ati i dynnu offer o gefn ei lorri a phrysuro i osod jac o dan echel un o olwynion ôl y lorri laeth. Gallai Price ei weld yn glir. Synnai pa mor hawdd oedd codi lorri mor drom â jac peipen cymharol fychan.

Llaciodd Elystan y bolltau a ddaliai'r olwyn, ac o fewn dim roedd hi'n rhydd. Rholiodd hi a'i rhoi i bwyso yn erbyn ochr ei lorri ei hun cyn troi at liferi'r craen bychan. Cododd yr olwyn a orweddai yng nghefn y lorri. Roedd rhaff yn sownd ynddi eisoes, a gollyngodd hi'n ofalus nid nepell o echel y lorri laeth fel y gallai ei rholio'n ddidrafferth i'w lleoliad newydd.

O fewn ugain munud roedd olwyn newydd ar echel ôl y lorri laeth ac Elystan yn pacio'i offer. Cododd fawd ar rywun mewn ffenest uwchlaw'r maes parcio. Cododd hwnnw fawd yn ôl a gadawodd Elystan yn ei lorri. Prin y gallai Price weld wyneb y codwr bawd yn y ffenest, ond arhosodd yn hir i wylio Elystan yn mynd.

'Wheel change completed. Tyre lorry leaving,' meddai Lacey'n dawel i feicroffon ar ei goler. Allai Price ddim clywed yr ymateb gan fod clustffon personol gan Lacey.

Daeth gyrrwr y lorri laeth allan drwy ddrws cyfagos a cherdded ati, ei thanio, ac o fewn dim, roedd e'n gadael hefyd. Nododd Price rif y lorri.

'Reit!' meddai Lacey. 'Amser mynd.'

'Dim hast,' meddai Price. 'Os arhoswn ni fan hyn am

funud neu ddwy, welwn ni pwy ffordd aiff e. Dim ond un ffordd sy mas o'r Berig mewn lorri, a pan fydd e'n cyrraedd yr hewl fawr, fe welwn ni fe'n troi'n ddigon rhwydd. Sdim iws iddo fe'n gweld ni. Dyw lorri fawr ddim yn gallu dianc yn hawdd ffordd hyn.'

'OK, ti yw'r bobi lleol,' ymatebodd Lacey braidd yn ddiamynedd. Trodd y ddau i wylio trwy'r gwrych eto, a gweld golau'r lorri'n troelli trwy'r lôn gymharol gul at y brif ffordd. Ar ôl cyrraedd y groesffordd, roedd tair ffordd y gallai eu dilyn, ond gan mai i'r dwyrain yr âi pob cerbyd i'r trefi mwy, roedd Price yn falch o weld bod ei resymeg yn gywir wrth i oleuadau'r lorri ddringo i'r cyfeiriad hwnnw ar hyd y ffordd a ddôi ag ymwelwyr i lenwi coffrau'r Berig.

Edrychodd Price ar ei wats. 'Saith munud. Fydd hynny'n ddim problem i'r anifail 'ma sy 'da ni,' meddai, wrth i'r ddau frasgamu at y Saab oedd yn aros amdanynt hanner lled cae o'r fan y buon nhw'n llechu ynddi. Roedd y glaswellt wedi lleitho, a'u traed yn wlyb erbyn iddyn nhw ei gyrraedd. Taniodd Price yr injan.

Rhuodd y car ar hyd y llwybr trol ac allan i'r ffordd a fyddai'n dilyn trywydd y lorri laeth. 'Following mark now in direction of Rhewl on A328. Looks like this one's heading for the Solihull depot,' meddai Lacey i'w feicroffon eto, yn amlwg yn teimlo gwefr aruthrol o'r antur ac am odro pob diferyn o ddrama o'r sefyllfa. Roedd yn sicr am gyfleu pa mor gyfarwydd oedd e ag anturiaethau o'r fath a thynnu sylw at ddiffyg profiad Price yr un pryd.

'*Step on it*, fachan!' meddai braidd yn ddiamynedd wrth Price.

'Sdim rhaid, dim ond dilyn y ffordd 'ma wneith e. Fe ddalwn ni fe mewn dim o dro.'

'Os wyt ti'n dweud,' meddai Lacey'n ddiamynedd eto.

'Dal yn dynn 'te,' meddai Price a gwasgu'r sbardun. Teimlodd y ddau bŵer y car yn eu gwasgu'n ôl i'w seddau wrth i'r Saab hyrddio yn ei flaen. Cafodd foment o falchder o weld Lacey'n cydio yn ei wregys gyrru wrth i'r teiars wichian rownd y troeon.

'OK, OK, ti wedi gwneud dy bwynt,' meddai hwnnw. Arafodd Price, a gwelodd y ddau olau'r lorri'r ym mhen draw'r cwm ryw hanner milltir o'u blaenau.

'Rhaid i ni arafu, ta beth,' meddai Price. 'Dy'n ni ddim moyn ei ddala fe cyn bo' cyfle i ni ei basio, ac ma' dwy filltir dda cyn y gallwn ni neud 'ny. Bydde fe braidd yn od 'sen ni ddim yn ei basio fe wedyn. Dyw bod yn *incognito* ar ffyrdd cefen gwlad ddim mor hawdd â 'ny yn y tywyllwch.'

'Iawn,' meddai Lacey, yn cydnabod ei wybodaeth leol.

Aeth y lorri yn ei blaen drwy'r Rhewl a phenderfynodd Price mai'r peth gorau fyddai ei phasio unwaith y bydden nhw'n gweld pa ffordd roedd hi am ei dilyn. Gallent stopio'n nes ymlaen, gadael i'r lorri eu goddiweddyd heb eu gweld, a dilyn o hirbell eto. Byddai'n haws ei dilyn wedi iddyn nhw gyrraedd lonydd prysurach, ond amynedd piau hi ar y lonydd tywyll, gwag.

Ni sylwodd y ddau ar y goleuadau yn y pellter y tu ôl iddynt.

*   *   *

Tua thri o'r gloch yn y bore oedd hi pan gyrhaeddodd y lorri wasanaethau'r draffordd ar gyrion Telford ar ôl taith lafurus dros fryniau'r canolbarth. Roedd Lacey wedi bod mor ddiddorol ag erioed yn dadansoddi'r lluniau ar ei gamera, yn cyfleu gwybodaeth ar sut i dynnu llun perffaith yn y tywyllwch.

'Mark pulling into Telford Services, continuing surveillance,' meddai Lacey mor ddramatig ag erioed i mewn i'r meicroffon ar ei goler. Roedd yn amlwg mai dim ond gwasgu botwm ar y meicroffon oedd rhaid ei wneud i gael cyswllt â rhyw uwch swyddog yn rhywle.

'Stopwn ni am ddishgled?' holodd Price.

'Bydd rhaid i ni aros i wylio,' meddai Lacey.

'Lwcus bod fflasg 'da fi 'te, yndife? Ma' mamau'r wlad yn edrych ar ôl eu bechgyn bach, ti'n gweld.'

'Wi'n marw am bisied,' oedd unig ymateb hwnnw.

Dilynodd y car y lorri o hirbell i'r maes parcio lorïau, a pharcio'r ochr draw, y tu hwnt i lorri arall, ond yn ddigon agos i weld y *mark*, chwedl Lacey.

Daeth y gyrrwr allan a cherdded i gyfeiriad y caffi.

'Ti'n meddwl weliff rhywun ni os awn ni i biso tu ôl i'r lorri 'ma?' holodd Lacey.

'Sai'n gwbod,' atebodd Price. 'Dy'n ni ddim yng nghefen gwlad nawr. Dyma dy batsh di. Jest cer amdani. Pan mae'n rhaid i ti fynd, mae'n rhaid i ti fynd. Fydde fe ddim yn syniad drwg i fi fynd hefyd,' ac aeth y ddau allan o'r car.

Tra oedden nhw'n cael rhyddhad yn niogelwch y gilfach y tu ôl i'r lorri, ni welodd yr un ohonynt lorri'n cyrraedd ac yn stopio gyferbyn â'r lorri laeth. Roedd hi'n debyg i'r un a ddaeth i'r ffatri laeth gynnau, a chraen bychan ar ei chefn, ond â'r enw TT Tyres arni'r tro hwn.

Ni welodd y ddau blismon y BMW tywyll a dynnodd i mewn yr ochr bellaf i'r maes parcio chwaith.

'Blydi hel!' meddai Lacey ar ôl cyrraedd cynhesrwydd y car unwaith eto. 'Mae rhywbeth yn digwydd. Ble mae'r ffycin camera 'na?'

Daeth dau ddyn o gab lorri TT Tyres, casglu eu hoffer

a throi eu sylw at yr olwyn a newidiwyd ar y lorri arall yn Hufenfa'r Berig. Jac yn yr un lle, ac o fewn munudau, roedd yr olwyn wedi ei thynnu. Codwyd olwyn arall o gefn y lorri a'i gosod yn gelfydd yn lle'r llall. Codwyd yr olwyn a dynnwyd i gefn y lorri deiars, a Lacey'n clicio'n orffwyll ar ei Canon, wrthi fel lladd nadroedd yn casglu tystiolaeth.

Roedd y ddau ddyn wrthi'n tacluso'u hoffer pan ddaeth sgrech teiars o ochr arall y maes parcio. Stopiodd y BMW gyferbyn â nhw ac mewn llinell syth â char y ddau heddwas. Agorodd ffenest ôl y BMW. Daeth blaen gwn brain wedi ei gwtogi allan trwyddo, a gyda dwy bluen o fwg o'i ffroenau, saethwyd y ddau ffiter teiars yn gelain. Gan fod y Saab mewn llinell syth ag annel y gwn, malwyd y ffenest â'r un getrisen.

Ni welodd Price beth ddigwyddodd wedyn gan ei fod wedi'i daflu ei hun i'r llawr o dan lefel y ffenest i osgoi unrhyw blwm pellach. Ni welodd ddyn yn dod allan o gefn y BMW ac yn cerdded at gab y lorri deiars. Ni welodd y lorri'n gadael chwaith, ond clywodd hi. Hyderai fod Lacey, oedd â'i ben uwchlaw lefel y ffenest o hyd, wedi cofnodi'r cyfan â'i gamera.

'Gest ti lunie?' holodd wrth dynnu ar ei gôt. Cwympodd camera Lacey i'r llawr a gwyrodd ei ben yn llipa at Price. Roedd ei lygaid ar agor a gwaed yn llifo i lawr ochr ei wyneb.

Tynnodd Price Lacey ato, gan ymbalfalu am y meicroffon ar ei goler a gwasgu'r botwm arno. 'Man down, man down – Telford Services!' gwaeddodd.

Ni chafodd gyfle i ddweud mwy cyn iddo glywed sgrech teiars, a chododd ei ben i weld yr hyn a dybiai fyddai'r BMW yn gadael. Yn hytrach, stopiodd o flaen y

Saab, agorodd y ffenest ôl eto a saethwyd i'w gyfeiriad. Malodd y ffenest yn deilchion, teimlodd boen yn ei ysgwydd, a chwympodd yn erbyn y drws.

Daeth dyn mewn mwgwd allan o gefn y BMW a cherdded yn syfrdan o hamddenol at y Saab. Agorodd ddrws y gyrrwr a chwympodd Price yn swp i'r llawr. Arhosodd yno'n llonydd yn disgwyl bwled arall. Aeth popeth yn dywyll, ond nid cyn iddo weld pâr o esgidiau Nike o flaen ei lygaid wrth i'r dyn blygu i edrych i mewn i'r car.

'Both whacked,' meddai.

'Let's get the fuck out of here then,' meddai llais o'r car. 'God, you're a sadistic bastard. Now come on.'

'Throw me another cartridge to make sure.'

'No. They're dead, now let's fuck off.'

'Hey, this one's a fucking copper,' meddai dyn y Nikes. 'I've seen him around the camp with that inspector. He's not a minder at all, he's a fucking copper.'

'OK, but let's go, for fuck's sake!'

Brysiodd y saethwr i'r car.

Roedd gyrwyr eraill wedi dechrau ymgynnull o amgylch mynedfa'r caffi i weld beth oedd achos y sŵn, ond roedd pawb yn ofni mynd yn nes wrth glywed ergydion y dryll. Gwelsant y mwg yn dod o deiars y BMW wrth iddo ddiflannu i gyfeiriad y draffordd.

Gwelsant ddau feiciwr modur mewn lifrai duon yn dilyn y car. Gellid clywed eu sŵn am rai eiliadau wrth iddynt gyflymu ar hyd y draffordd. Wedyn bu tawelwch.

Daeth sŵn gwylan o rywle uwchlaw'r maes parcio, a'i chri anghyfarwydd yn tarfu ar lonyddwch y gyflafan islaw.

Pennod 9

Roedd y bwthyn mor ddiarffordd fel na chlywodd Arthur y bwrlwm a fu yn y Berig y noson honno.

Casglwyd sawl dihiryn o'i drwmgwsg o amryw anheddau o gwmpas y pentref, a thynnwyd dau o'u gwaith yn Hufenfa'r Berig. Torrwyd i mewn i depo Teiars Glan y Môr gan blismyn arfog, ac i'r warws fechan drws nesa. Roedd cŵn ym mhobman, rhai i amddiffyn ac eraill i ffroeni. Rhoddwyd gwarchae ar yr harbwr, ac ataliwyd unrhyw gerbyd rhag gadael y dref gan blismyn a'u drylliau'n amlwg. Bu ceir a faniau'r heddlu yn ôl ac ymlaen trwy gydol y nos yn cludo tystiolaeth a'r bobl a arestiwyd. Roedd y dref wedi ei ysgwyd i'w sail; mor dawel oedd pethau fel arfer.

Ymhell o barthau'r Berig, caewyd y gwasanaethau yn Telford i rwystro teithwyr rhag galw yno, a bu'n rhaid i'r teithwyr a'r gyrwyr lorri a oedd yno eisoes gyfiawnhau eu bodolaeth cyn cael caniatâd i adael, ond nid oedd sôn am yrrwr y lorri laeth. Safai lorri Hufenfa'r Berig yn y maes parcio a llu o gerbydau'r heddlu o'i chwmpas. Cludwyd ambell un oedd yn y caffi i'r ddalfa i'w holi ymhellach. Roedd ambiwlansau lu wedi cyrraedd a gadael, eu goleuadau'n fflachio, a diflannu i'r ysbyty gyfagos, a cheir heddlu'n eu gwarchod. Yn un ohonynt roedd Price yn anymwybodol, a gwaed yn llifo o'i ysgwydd.

Bu llu o dechnegwyr yr heddlu'n craffu ar luniau camerâu diogelwch sawl lleoliad o amgylch y gwasanaethau, ac yn dilyn hynny, torrwyd i mewn i

TT Tyres yn Solihull, ac i dŷ'r perchennog, a gafodd ei arestio'n ddiseremoni er gwaethaf sgrechian ei wraig a'i blant. Nid oedd sôn am y lorri, a oedd wedi diflannu. Gwelodd y technegwyr y trais a'r BMW du ac anfon y rhif cofrestru at eu cyd-weithwyr. Nid oedd yn rhif dilys yn ôl y gronfa ddata.

Rywle yn y môr ger Ynysoedd Sili, cipiwyd catamarán gan gwch gwylwyr y glannau ac arni haid o blismyn arfog, a'i thynnu i'r porthladd. Dau forwr oedd arni. Ildiodd y ddau heb air o brotest.

*   *   *

Gorffwysai pen Branwen ar y gobennydd, yn edrych ar Arthur, oedd â'i olygon ar y nenfwd yn ceisio amgyffred yr hyn oedd wedi digwydd yn ystod yr oriau diwethaf. Roedd y wawr wedi torri a'r ddau'n anfodlon gadael i'w noson ddod i ben.

'Ti'n gwybod dy ffordd rownd corff menyw, yn dwyt ti?' meddai hi'n sydyn.

Gwenodd Arthur. 'Mi oeddwn i'n cofio'r map yn o lew, ond yn poeni mwy sut byddai'r injan y gweithio.'

'Fe weithiodd yn iawn, cred di fi,' a chlosiodd ato unwaith eto.

'Ond mae'r tanc yn wag erbyn hyn. Rhaid dod â'r nwyd i ben rywbryd.'

'Pam hynny?' holodd hithau.

'Rhaid i ddyn fynd i'r tŷ bach rywbryd.'

Pwniodd Branwen ef yn gellweirus. 'Dere 'nôl wedyn.'

Pan ddychwelodd, roedd y gwely'n wag a chlywai sŵn tegell yn berwi yn y gegin. Gwisgodd ŵn gwisgo oedd yn hongian y tu ôl i'r drws ac edrych trwy'r ffenest ar y niwl yn codi o'r afon, a chrëyr glas yn troedio trwy fasddwr yn chwilio am ei frecwast. Dychwelodd Branwen â hambwrdd ac arno botyn o goffi a'i sawr yn llenwi'r ystafell.

'Agor y ffenest,' meddai hi. Camodd y ddau allan ac eistedd wrth fwrdd bychan yn yr ardd. Bu tawelwch am amser hir.

'Does neb arall wedi bod ar dy ôl di?' holodd Arthur yn ddisymwth.

'Ambell un o'r Cymrodyr wedi trio, ond ro'n nhw naill ai'n rhy hen, yn rhy dwp neu'n rhy briod.'

'Y Cymrodyr?'

'Y *Masons* lleol. Nhad yw'r prif Gymrodor.'

'Clybiau bechgyn mawr,' meddai Arthur gan wenu, a throi i syllu ar yr olygfa o'u blaenau. Syllodd yn hir ac yn feddylgar.

'Beth sy'n bod?' holodd Branwen wrth weld cysgod yn disgyn dros ei wyneb.

'Mae rhywbeth o'i le. Mae hyn yn rhy dda, yn rhy berffaith.'

'Yn "rhy berffaith"?'

'Ie. Dyma fi, Arthur Goss, wedi treulio noson efo'r ferch harddaf yn y byd, sy'n angyles yn y gegin ac yn deigr yn y gwely, yn yfed coffi ar lawnt bwthyn delfrydol â golygfa ddelfrydol, yn teimlo'n hapusach nag y teimlais i erioed. Rhaid bod rhywbeth o'i le.'

'Pam?'

'Dydy Arthur Goss ddim yn gwneud "perffaith".'

'Rwy'n credu bod angen sigarét arnot ti i amharu ar y perffeithrwydd!'

Gwenodd Arthur, derbyn y sigarét ganddi a'i thanio. Tynnodd yn ddwfn ar y mwg tra taniodd hithau un hefyd.

'Wyddost ti be?' meddai wrthi ar ôl eiliad. 'Ti ddim jest yn bishyn, ti'n bishyn ddoeth hefyd.'

'Rwy'n trio bod,' meddai hi, gan bwyso ymlaen a chusanu Arthur ar ei foch yn dyner. 'Nawr yfa'r coffi 'na a chau dy ben, wnei di.' Bu tawelwch rhyngddynt am funud hir cyn iddi droi i edrych ymhell dros yr afon, a gyda dwyster yn ei llais dywedodd: 'Nawr gwranda arna i, Arthur Goss. Dim ond ti, a neb arall, sydd wedi aros dros nos 'da fi. Os mai'r perygl 'mod i'n mynd i weld y gwir Arthur Goss sy'n dy boeni di, sai'n becso taten amdano fe. Nid dim ond ti yw e – mae'r ddau ohonon ni'n *damaged goods*. Mae *baggage* go drwm gyda ni, ond bydde'n well 'da fi ci gadw hyd braich am y tro.' Oedodd am eiliad cyn ychwanegu, 'Fe ddysgais i mewn gwersi maths yn yr ysgol fod dau minws yn gwneud plws. Gad i ni fwynhau'r plws 'ma tra parith e. Wneith tamed bach o berffeithrwydd ddim drwg i ni o gwbwl. Mae gen i, fel ti, anghenion emosiynol a rhywiol, a dyma'r therapi gorau ges i ers sbel.' Trodd yn ôl i edrych i fyw ei lygaid.

'Wsti be?' meddai Arthur, a'i wyneb yn hollol ddifrifol.

'Beth?' atebodd Branwen a'r olwg ddwys yn dal ar ei hwyneb.

'Dwi'n meddwl,' meddai Arthur, 'bod tipyn o betrol ar ôl yn y tanc yna wedi'r cwbwl,' a thorrodd gwên fawr dros ei hwyneb. Cododd y ddau a cherdded i ddechrau, ac yna rasio, yn ôl i'r gwely'n rholio chwerthin.

*   *   *

Roedd hi'n ganol bore erbyn i Arthur Goss ddisgyn o ryw gwmwl yn rhywle a glanio'n swp yn y byd go iawn, a Sarjant Murphy'n ei rwystro ar y ffordd tua'r briffordd o'r

Berig, a heddwas dieithr a gwn am ei wddw y tu ôl iddo'n edrych yn hynod herfeiddiol.

'Be gythrel sy'n digwydd yn fama?' holodd Goss wrth roi ei ben allan trwy ffenest y car.

'O, chi sy 'na,' meddai Murphy. 'Meddwl bo' chi ar eich gwyliau, syr.'

'Ydw. Rŵan ateb y cwestiwn.'

'O, ym, chi ddim yn gwbod?'

'Nac ydw, neu faswn i ddim yn gofyn.'

'Wel, ma' popeth wedi mynd yn boncyrs yn y Berig 'ma ers nithwr. Ro'dd cwpwl o'r bois wedi trio'ch ffono chi ond do'dd dim ateb.'

'Ond be sy wedi digwydd?'

'Ma' Special Branch wedi bod yn arestio pawb sy'n symud yn y Berig, o beth wela i. Popeth wedi digwydd yn ofnadw o glou. Y cwbwl lot wedi dechre gyda dou blisman yn cael eu saethu yn Telford. Price o'dd un ohonyn nhw.'

'Be, ein Price ni?'

'Ie. 'Na pam o'dd y bois yn trio'ch ffono chi.'

'Ydy o'n iawn?'

'Smo fi'n siŵr, syr, ond cafodd y bachan o'dd 'da fe 'i ladd. Ma' Price yn yr ysbyty yn Telford, glywes i.'

'Pwy sy wedi cael eu harestio?'

'Bois o'r ffatri laeth, bois o'r lle teiars a nifer o fois erill o'r pentre.'

'Neb arall?'

'Neb arall hyd y gwn i. Smo fi'n gwbod am unrhyw un arall.'

'Reit, well i ni roi bys yn y potes, 'te,' meddai Goss.

'Fydden i ddim 'sen i'n chi.'

'Pam hynny?'

'Os chi'n meddwl mynd i mewn i'r stesion, mae'r lle'n

berwi â Special Branch, a smo nhw'r bois mwya serchus yn y byd. Rhywbeth tebyg i hwn man hyn,' gan gyfeirio at ei gydymaith â'r gwn. 'Fydden i'n aros ar fy ngwylie am beth amser 'to.'

'Meddwl mwy am ymweliad â chanolbarth Lloegr oeddwn i. Ga i fynd rŵan?'

'He's OK. He's a copper. I know him,' meddai Murphy wrth yr heddwas gan amneidio ar i Goss fynd yn ei flaen.

*   *   *

Rhyw ddwy awr a hanner gymerodd hi i Goss i gyrraedd yr ysbyty. Dangosodd ei gerdyn gwarant i'r heddwas oedd ger drws ward sengl Price. Cafodd dipyn o sioc o weld yr heddwas ifanc yn eistedd i fyny'n yfed te, a'i fraich mewn sling.

'Be gythrel ydy hyn? Mi oeddwn i'n disgwyl i ti fod ar dy wely angau.'

'Sori, syr! Ro'n i'n lot gwa'th nithwr, medden nhw, os yw hynny unrhyw gysur i chi. Ces i ryw dri pheint o wa'd, a heddi wy'n teimlo'n itha teidi. Diolch am y consýrn.'

'Croeso,' meddai Goss. 'Falle y dysgi di aros yn dy batsh dy hun a pheidio mynd i galifantio i lefydd peryg. Rŵan, well i mi gael gwybod popeth am be sy wedi bod yn digwydd tra dwi 'di bod ar fy ngwyliau, ac am neithiwr hefyd. Hynny ydy, os wyt ti'n ddigon iach i wneud hynny, wrth gwrs,' meddai wedyn, gan gofio am anafiadau Price.

'Ond, syr, ma'n nhw wedi'n holi fi'n dwll am hynny'n barod.'

'Gwna dy orau, fachgen, jest cymer dy amser.'

*   *   *

Bu Goss yn glustiau i gyd am hanner awr a mwy tra adroddai Price yr hanes.

'A ti'n cofio dim byd ar ôl i'r diawl yna o'r BMW saethu atat ti trwy'r ffenest flaen.'

'Nagw, syr. Y cwbl wy'n 'i gofio yw traed y boi 'na â'r gwn. Weles i drenyrs Nike, ac aeth popeth yn dywyll wedyn.'

'Wel, wel,' meddai Goss. 'BMW du oedd y car?'

'Wy'n credu, ond o'dd hi'n anodd gweud yn gwmws pa liw oedd e yn y golau melyn yna. Ond lliw tywyll oedd e.'

'Wel, wel,' meddai Goss eto. 'Mae pethe'n dechre gwneud tipyn bach o sens.'

Oedodd yn hir cyn mynd yn ei flaen. 'A gwerth miliwn o gocên mewn teiar lorri laeth, ie? Pwy fase wedi meddwl?' Roedd y llysenw 'dyn llaeth' ar gyflenwr cyffuriau Solihull yn gwneud mwy o synnwyr bellach. 'Mae'n dipyn o stryffîg i gario cyffuriau. O ble daeth y *tip-off*, sgwn i?' meddai'n fyfyrgar. 'Felly mae'n swyddfa fach ni wedi bod yng nghanol digwyddiadau mawrion,' meddai'n goeglyd wedyn.

'Ody, syr. Dyna pam o'n nhw moyn 'ych ca'l chi mas o'r ffordd, wy'n credu.'

'Felly dydy Whitaker ddim wedi bod o gwmpas o gwbl?'

'Nag yw. Ma' fe wedi bod ar hyd y lle, ond ar y cyrion, math o beth. Rhyw foi o'r enw DCI Stanley o Special Branch sy wedi bod yn galw'r siots i gyd. Ma' fe fel rhywbeth mas o'r SAS. Boi ifanc, yn dipyn o sgryff a gweud y gwir, ond ma' gydag e wyneb caled fel craig a brêns yn dod mas o'i glustie fe, neu dyna'r argraff ges i yn y briffing geson ni 'dag e. Ma' fe'n siarad Cymra'g hefyd.'

Oedodd Price am eiliad cyn ychwanegu, 'Fe sy wedi bod yn defnyddio'ch swyddfa chi.'

'Ie wir? Ddaeth Doug Ellis ddim yn agos 'te?'

'Dim sôn amdano fe, syr.'

'A dim ond tynnu lluniau oedd y briff i ti?'

'Ie, syr. Do'dd pethe ddim i fod i ddechrau digwydd go iawn nes 'u bod nhw'n gwbod am bob dolen yn y gadwyn.'

'Ac i ble mae'r gadwyn yn mynd, sgwn i? Wel, maen nhw *wedi* dechra digwydd. A digwydd go iawn hefyd,' meddai Goss yn bwyllog. 'Mae arestio mawr wedi bod yn y Berig a Duw a ŵyr ble arall. Ond fetia i na fyddan nhw wedi dal y caws mawr.'

'Siwd 'ny, syr?'

'Wel, ar ôl i'r helynt ddechre yn Telford neithiwr, roedd y gath allan o'r cwd, yn doedd, felly byddai'n rhaid symud, ac mae'n debyg na chawson nhw mo'r dolenni cyswllt olaf. Ti sy ar fai, ti'n gweld!'

'Diolch, syr!'

'Croeso,' meddai Goss eto. 'Ddim y llwyddiant ysgubol roedden nhw'n ei ddisgwyl, a'r cyffuriau wedi mynd hefyd. Fydd y datganiad ar y newyddion ddim yn un hawdd, os bydd un o gwbwl!'

'O's unrhyw sôn am Lacey? Dy'n nhw ddim wedi gweud dim wrtha i. Dyw e ddim yn yr ysbyty 'ma, wy'n gwbod 'ny.'

'Ddim yn rhy dda, mae gen i ofn.'

'O,' meddai Price, yn deall ymarweddiad Goss.

'Ydy dy fam yn gwybod?'

'Siarades i â hi gynne. Ma' hi'n OK.'

'Mi a' i draw heno.'

'Diolch. Chi'n mynd 'nôl nawr?'

'Ddim eto. Un alwad fach gen i i'w gwneud. Ddoist ti o hyd i gyfeiriad yr Ezra Lake yna wedyn?'

'Do. 14 Ladbroke Grove, Solihull.'

'Duw, ti'n cofio'n dda.'

'CID, chi'n gweld, syr.'

'Brysia wella,' meddai Goss cyn gadael. 'Mae lot fawr i'w drafod pan ddoi di adre.'

*　　*　　*

Roedd y *sat nav* wedi bod yn gaffaeliad, a safai Goss y tu allan i dŷ Ezra Lake. Rhesaid o dai teras Fictoraidd oedd Ladbroke Grove. Camodd Goss at y drws a chanu'r gloch. Doedd dim ateb, a chamodd yn ôl a cheisio sbecian trwy'r ffenest.

'Can I help you?' Daeth llais o'r tu ôl iddo.

'Yes. I'm looking for a Mr Lake.'

'And who's asking?' meddai'r fenyw ganol oed braidd yn sarrug yr olwg.

Dangosodd Goss ei gerdyn gwarant iddi.

'He's a famous author, you know,' meddai hi, yn amlwg yn ymfalchïo yn ei chymydog enwog.

'I know. He's helping us with a little something,' meddai Goss yn gyfeillgar. 'A bit like Cracker, really,' ychwanegodd yn gynllwyngar.

'I see,' atebodd hi, yn meddalu rhywfaint. 'Haven't seen him for a few days now. Unusual really. We usually see him out the back. His car's still there. Haven't heard the dog either.'

'And you are?'

'Denise Madeley. I live next door.'

Camodd Goss ymlaen a churo'r drws eto, ond ni ddaeth ateb.

'Would he go anywhere without his car?' holodd wedyn.

'Hardly,' meddai hithau, 'he's got a gammy leg, you know.'

'You don't have a key by any chance, do you?' meddai Goss, wrth edrych trwy'r blwch llythyrau a gweld post a phapurau newydd sawl diwrnod ar y llawr yn y cyntedd.

'Yes, but he never locked his door unless he was away, and he would have told me. You don't think anything has happened to him, do you?'

'We'll soon see, Mrs Madeley,' ac agorodd y drws. Camodd i mewn i'r tŷ, oedd yn hynod o flêr.

'He isn't much for tidying,' meddai hi, yn sbecian o'r drws ar ei ôl, fel petai'n ymddiheuro am y blerwch.

'I can see that,' meddai Goss. 'I wouldn't come any further,' meddai wedyn, pan welodd gorff ci marw o'r golwg rownd y gornel heibio'r lolfa, a'r gwaed oedd wedi llifo o'i ben wedi hen sychu ar y carped. Nid oedd sôn am neb yn y lolfa na'r gegin. Nid oedd y drws cefn wedi ei gloi.

Troediodd yn ofalus drwy'r papurach yn y cyntedd a chamu i'r stydi, lle darganfu gorff Ezra Lake yn gelain yn ei gadair o flaen ei ddesg, a thwll bychan taclus yn ei dalcen lle'r aeth y fwled i mewn. Roedd twll bychan taclus yng nghefn y gadair hefyd lle daeth hi allan. Roedd ei geg ar agor a'i freichiau'n hongian yn llipa. Doedd nemor ddim gwaed i'w weld. Gorweddai'r gwn ar y llawr o dan un o'i ddwylo.

Ar y ddesg roedd papurau a chyfrifiadur. Nid oedd y cyfrifiadur yn ymddangos yn fyw, ond pan gyffyrddodd Goss y llygoden yn ofalus, deffrodd y peiriant, a dangos dogfen a'r geiriau 'Velvet Mafia draft 1' yn enw arni ar ben y sgrin. Rhaid bod hwn yn ddarn sylweddol o ysgrifennu, gan fod y ffeil ar agor ar dudalen 143. Nid oedd Goss am darfu mwy ar y peiriant nac amharu ar unrhyw dystiolaeth.

'Anything I can do to help?' Daeth llais Mrs Madeley o ddrws y ffrynt.

'I don't think so, Mrs Madeley. I wouldn't come in,' a gadawodd yr ystafell i'w rhwystro rhag dod ymhellach.

'Has anything happened to him?' holodd hi.

'Yes, I'm afraid so. It seems he's passed away.'

'Oh!' meddai hi a dechrau beichio crio.

Rhoddodd Goss hi i eistedd ar y grisiau o flaen y tŷ. Tynnodd ei ffôn o'i boced a chwilio am y rhif priodol.

'Sergeant Bashir?' holodd

'Speaking,' daeth y llais yn ôl.

'Remember me? Inspector Goss from Wales.'

'Oh, hi, long time no hear.'

'I'm at number 14 Ladbroke Grove, here in Solihull. I think you should pop down here. Bring some cavalry with you.'

'Why, what's happened?'

'A rather dubious death, shall we say . . .'

*   *   *

Tua'r un adeg ag yr oedd Goss yn ceisio cysuro Mrs Madeley yn aflwyddiannus, roedd BMW du'n teithio ar hyd ffordd dawel oedd yn croesi'r M42. Arhosodd y car wrth groesffordd. Nid oedd fawr ddim traffig ar hyd y lle heblaw am ddau fotor-beic a dau ŵr mewn lifrai duon ar eu cefnau. Roedd un wedi pasio'r car ac yn ymddangos braidd yn betrus i fynd allan i'r ffordd fawr, er gwaethaf amneidio diamynedd gyrrwr y BMW.

Daeth yr ail feic at ochr y car a churo ar y ffenest. Pan agorwyd y ffenest, cododd y beiciwr wn llaw a thanio ddwywaith i'r blaen ac unwaith i'r sedd ôl, ac o fewn eiliadau roedd y ddau feiciwr wedi diflannu. Roedd y tri yn y car yn farw gelain a'r car yn rholio'n araf at y clawdd gyferbyn.

Gyrrwr lorri wellt a ddaeth o hyd iddyn nhw ryw ddeng munud yn ddiweddarach. Roedd y car â'i drwyn mewn ffos a gwaed wedi tasgu dros y ffenestri'r tu mewn.

Dim ond y gwylanod oedd yn troelli yn yr awyr uwchben oedd wedi gweld unrhyw beth. Roedd eu cri yn diasbedain.

*   *   *

Roedd yr ambiwlans wedi mynd, ond roedd dynion camera'n parhau i glicio a fflachio rownd y tŷ. Arhosodd Goss o'r neilltu a gadael i'r heddlu lleol wneud eu gwaith.

'Looks like suicide,' meddai Sarjant Bashir ar ei ffordd i lawr y grisiau o'r tŷ at Goss, oedd yn tynnu ar sigarét ar y palmant.

Ni chafodd Goss amser i ymateb cyn i'w ffôn hi ganu. Gwrandawodd yn astud. 'All three dead? Who are they? What?' meddai'n sydyn. 'I don't believe it. All of it? What the hell's going on?'

'You're not going to believe this,' meddai wrth Goss.

'Try me. I've had a pretty unbelievable day all round.'

*   *   *

Roedd ei feddwl yn rasio fel trên ar y ffordd adref. Cymhlethdod ar ben cymhlethdod. Dim digon o wybodaeth, gormod o syniadau, a dim byd yn taro deuddeg, meddyliodd wrtho'i hun. Diawliodd Whitaker am ei wyliau gorfodol, ond roedd atgofion y bore'n falm i'w enaid.

Daeth newyddion ar y radio am y lladdfa ger y groesffordd. 'Gangland shooting' oedd y geiriau a ddefnyddiwyd i ddisgrifio'r gyflafan. Y ddamcaniaeth oedd fod rhywbeth wedi tarfu ar y lladron, oedd yn awyddus i ddwyn y cyffuriau o gist y car, gan iddynt adael y lleoliad heb eu hysbail. Ond prin oedd unrhyw fanylion pellach gan mai newydd ddigwydd yr oedd y drychineb, yn ôl y bwletin.

*   *   *

Er ei bod hi'n ddeg o'r gloch y nos, cadwodd Arthur at ei air ac ymweld â mam Price. Roedd eraill o orsaf yr heddlu wedi bod yn ei gweld ond roedd ymweliad ganddo fe'n werth mwy na'r lleill, meddai hi.

Dychwelodd i'w fflat ac agor y drws. Roedd yn edrych yn llwm ac yn fach o'i gymharu â moethusrwydd ac ehangder bwthyn Branwen. Caeodd y drws y tu cefn iddo a thynnu ei wynt ato cyn camu'n ôl i realiti ei fywyd go iawn.

Aeth i'r gegin, llenwi'r tegell ac agor yr oergell i chwilio am laeth. Eisteddai'r botel wisgi yno'n ddisgwylgar. Cododd hi, tynnu'r corcyn ac arogli'r cynnwys. Gwenodd cyn ailosod y corcyn yng ngheg y botel, ei dychwelyd i'r silff, a thynnu potel o laeth allan yn ei lle. Gwnaeth baned o goffi a'i chario i'r lolfa fechan. Eisteddodd a thynnu pecyn o sigaréts o'i boced, ac edrych arno am eiliad. Mae modd bod yn dda, meddyliodd, ac mae modd bod yn rhy dda hefyd. Tynnodd sigarét o'r pecyn a'i thanio.

Yn lluddedig yr aeth i'r gwely'r noson honno, ond cysgodd yn hir ac yn drwm.

*   *   *

Daeth y ddau frawd i mewn at eu tad, a'r haul wedi hen fachlud dros y Berig. Roedd Gruffudd ap Brân yn edrych dros oleuadau'r pentref at y môr. 'Iawn?' holodd heb droi tuag atynt o'r ffenest.

'Popeth yn daclus,' meddai Carwyn.

'Da, was,' meddai'r tad. 'Chi'n iawn?'

'Ydyn, Nhad,' atebodd Gerwyn, wrth roi ei helmed motor-beic ar silff y ffenest. Roedd blerwch ei wallt wedi iddo ddiosg yr helmed a chochni ei wyneb yn rhoi rhyw olwg orffwyll iddo. Roedd cryndod yn ei lais.

'Gosteg, fy mab,' meddai Gruffudd yn dadol. 'Paham y dylem wylo dros yr hyn sydd raid?' ychwanegodd, cyn troi a gwenu arnynt. 'Iawn felly, 'te?'

'Ydy,' atebodd Carwyn yn bwyllog. 'Mae'r carthu wedi gorffen.'

'Fydd y Cymrodyr yn cael gwybod?' holodd Gerwyn.

'Ddim y tro hwn, sai'n credu,' atebodd Gruffudd. 'Ddim y tro hwn.'

Pennod 10

Roedd cymylau wedi dechrau casglu uwchben y Rhewl, ac roedd hi'n bygwth glaw, ond roedd ysbryd Goss yn heulog o hyd, a'i synnwyr digrifwch mor sych ag erioed.

Camodd trwy ddrws ffrynt gorsaf yr heddlu, ac o weld y cownter gwag, canodd y gloch a gweiddi 'Siop?'

Daeth Sarjant James rownd y gornel. 'O, chi sy 'na.'

'Ie, wir. Ydy hi'n saff i mi ddŵad i mewn? Ydy'r SAS wedi gadael?'

'Ydyn, bron.'

'"Bron"?'

'Wel, ma' DCI Stanley yn tacluso lan.'

'Well i ni gael gair 'te,' meddai Goss wrth droi am ei swyddfa.

'Faswn i dd. . .' meddai James ar ei ôl, ond roedd llaw Goss ar ddolen y drws eisoes. Camodd i mewn.

Darganfu ddyn ifanc mewn crys rygbi a jîns yn dadfachu ei gliniadur ac yn plygu'r wifren i'r bag. Roedd plismones ifanc yn casglu ffotograffau oddi ar fwrdd gwyn oedd wedi ei osod ar y wal. Roedd ôl inc cochlyd ar y bwrdd ochr yn ochr â'r lluniau.

'Mr Stanley, I presume,' meddai Goss.

'Ie, Mr Goss y'ch chi, rwy'n tybied. Diolch am gael defnyddio'ch swyddfa chi. Roeddwn i'n meddwl eich bod ar eich gwyliau. Mandy, alli di adael hwnna am funud?' meddai Stanley wrth y ferch. 'Munud bach, plis?' meddai wedyn a chodi ei aeliau yn arwyddocaol.

'Iawn, syr,' meddai hi a diflannu trwy'r drws.

'Mi oeddwn i, ond dwi 'nôl rŵan.'

'Gawsoch chi amser braf?'

'Pysgota.'

'Yn y Berig, glywais i. Ddalioch chi rywbeth?'

'Ddim yn siŵr.'

'Tipyn mwy o lwc yn Solihull?'

'Falle.'

'Fydda i ddim yn hir, ac fe gewch chi'ch swyddfa yn ei hôl. Dwi ddim wedi symud dim byd,' meddai Stanley fel petai'n disgwyl i Goss adael llonydd iddo orffen tacluso.

'Un funud fach, washi. Sori . . . Syr. Ond dwi'n meddwl 'mod i'n haeddu tipyn bach mwy na dim ond cael fy swyddfa yn ôl, dech chi ddim? Wedi'r cwbl, dydy'r holl *shebang* ddim wedi bod yn llwyddiant ysgubol, ydy o?'

'Ym mha ffordd?'

'Wel, fe gollsoch chi'r cyffuriau.'

'Ond fe gawson ni nhw'n ôl.'

'Ond dim diolch i chi.'

'OK.'

'Mae un copar wedi'i ladd, tri chorff arall mewn mortiwari yn rhywle, ac un o fy DCs i'n lwcus i fod yn fyw.'

'*Collateral damage*. Mae'r pethau yma'n digwydd.'

'Yden, ond betia i nad chi sy'n gorfod mynd i ddweud wrth wraig neu fam y plismon gafodd ei ladd ei fod o wedi marw. Na pherthnasau'r dynion meirw eraill chwaith. Tipyn o lanast mewn gwirionedd.'

'Y'ch chi wedi gorffen nawr?' meddai'r gŵr ifanc, yn colli ei ymarweddiad cŵl, ac yn amlwg wedi ei gythruddo. 'Nac oedd, doedd e ddim yn llwyddiant ysgubol. Naddo, wnaethon ni ddim dal pawb, a na, wyddon ni ddim i ble roedd y teiar yna'n mynd yn y pen draw. Ond rydyn ni wedi rhoi pìn yn swigen un o'r gangiau mwyaf sy'n mewnforio cyffuriau i Brydain. Rhaid i ni fodloni ar hynny am y tro. A chyn i fi orffen gwaith heddiw, bydda i'n mynd i weld mam Lacey, a dydw i ddim yn edrych ymlaen at y profiad. Hapus?'

'Diolch,' meddai Goss. 'Ga i ofyn un cwestiwn arall?'

'Pwy sy'r tu cefn i'r gang, ie? Ddim Gruffudd ap Brân ydy'r ateb, fel y tybiwch chi, yn ôl a glywa i. Fe setiodd y cwbwl lot yma i fyny i ni. Felly lladdwch y chwilen honno sydd yn eich pen er eich lles eich hun.'

'Bygythiad ydy hynny, syr?'

'Nage, dim ond gair o gyngor.' Ochneidiodd Stanley. 'Blydi hel, chi'n rêl teriar, on'd y'ch chi? Edrychwch, chi'n byw mewn rhyw fyd delfrydol lle mae du a gwyn, a da a drwg. Yn anffodus, dydw i ddim yn byw yn y byd hwnnw. Cyfaddawd ydy pob dim. Does dim byd yn berffaith. Ar hyn o bryd mae ganddon ni ganlyniad o fath, ac mi fodlona i ar hynny ac mi gysga i'r nos. Mae lot yr hoffwn ei wybod ac mae lot na fydda i'n ei wybod, chi'n deall?'

Edrychodd y gŵr ifanc ar Goss, oedd yn edrych i fyw ei lygaid. Oedodd i feddwl cyn dweud, 'Chi ddim yn mynd i adael llonydd i'r peth, y'ch chi?'

Cododd Goss ei ysgwyddau. 'Yr hen fyd du a gwyn yma, chi'n gweld, syr.'

'Iawn, 'te. Oes dylanwad gyda chi yma i gael coffi neu rywbeth i ni?'

'Rwy'n siŵr y galla i drefnu rhywbeth.' Roedd yr awyrgylch yn sydyn wedi mynd yn llai ffurfiol.

Pwysodd Goss dros y ddesg a chodi'r ffôn. 'James, ydy'r peiriant coffi sy fel arfer ar fynd gen ti yna'n dal yn boeth?'

'Ydy, syr.'

'Coffi i DCI Stanley, os gweli di'n dda, a chan dy fod di'n dŵad, tyrd ag un i mi hefyd, wnei di?'

O fewn munud daeth Mandy'n ôl i mewn gyda hambwrdd ac arno gwpanau, siwgr, llaeth a photyn o goffi.

'Mae dylanwad yn beth mawr,' meddai Stanley.

'Na. Jest yr "C" yng nghanol eich teitl sy'n gwneud gwahaniaeth.' Gwenodd y ddau a gadawodd Mandy eto gyda nòd ddeallus at ei bòs.

'Y'ch chi'n eistedd yn gyfforddus?' holodd Stanley. 'Yna fe ddechreuwn ni yn y dechrau, Arthur. Ga i'ch galw chi'n Arthur?'

'Lle da i ddechre,' meddai Goss yn dadol, 'ac mae Arthur yn iawn gen i.'

'Oeddech, mi oeddech chi'n boen yn y pen-ôl. Doedd marwolaeth y dyn bach yna yn y garafán ddim yn bwysig i ni. Cadw'r Berig yn dawel oedd yn bwysig i ni. Roedden ni wedi bod yn paratoi ers misoedd. Roedd Ap yn gwybod. Fe roddodd y *tip-off* i ni, wel, ddim yn uniongyrchol. Fe ddaeth trwy'r Prif Gwnstabl, a phan mae hwnnw'n gorchymyn, rhaid gweithredu. Sut y cafodd Ap y wybodaeth i ddechrau, dydyn ni ddim yn holi, ond yr argraff ges i oedd nad oes fawr ddim nad yw e'n ei wybod am y Berig. Roedden ni'n gwybod mai o Iwerddon roedd y stwff yn dod. Mae si fod rhyw gyswllt rhwng Ap a'r Gwyddelod yn y dyddiau a fu, ond sdim tystiolaeth bendant o hynny, a dydyn ni ddim yn holi gormod chwaith.' Oedodd i gael ei wynt ato a chymryd llymaid o goffi.

'Beth bynnag, roedd llwyth ar ei ffordd i mewn i'r Berig. Doedden ni ddim yn gwybod yn union pryd roedd e'n dod, ond roedden ni'n gwybod sut. Cwch i mewn i'r bae, cawell cimychiaid yn llawn cyffuriau'n cael ei ollwng, weithiau un, weithiau dau neu dri. Bwi melyn wrth bob un. Casglu bwi coch. Arian yn hwnnw, dybiwn i. Gadael. Syml. Pysgotwr cimychiaid oedd yn eu gadael a'u casglu nhw.'

'Elystan?' holodd Goss.

'Ie, a cwpl o fois eraill. Sut o'ch chi'n gwybod?'

'Jest amau,' atebodd Goss. 'Ond peidiwch â gadael i mi dorri ar draws.'

'Rydyn ni'n meddwl bod y stwff yn dod o ardal Kinsale. Mae'r Gardaí yn ymchwilio i weld sut mae'n cyrraedd yno. Maen nhw'n amau mai bois yr INLA gynt sy'n gyfrifol. Hen arferion yn parhau er diwedd y terfysgoedd. Cychod hwylio sy'n dod â fe. Fe ddalion ni'r cwch ddaeth â'r llwyth diweddara. Betia i nad oeddech chi'n gwybod hynny.'

'Nac oeddwn,' meddai Goss yn ffug wylaidd.

'Lot o arian arni, glywais i, mewn cas metel gwrth-ddŵr. Heb glywed faint eto, ond lot fawr o ewros.'

'Felly pwy wnaeth ymosod ar y lorri yn Telford?'

'Yr IRA, rydyn ni'n meddwl.'

'Arhoswch funud,' meddai Goss yn sydyn. 'Roedd yr IRA a'r INLA ar yr un ochr, yn doedden nhw?'

'Oedden, ond fu erioed fawr o gariad rhyngddyn nhw, ac ers diwedd y terfysgoedd mae pethau wedi mynd yn dipyn gwaeth. Gangsters ydyn nhw yn y bôn, yn ymladd dros eu patsh.'

'O,' meddai Goss, gan gydnabod gwybodaeth ehangach y gŵr ifanc. 'Felly os ydw i'n deall yn iawn, yr INLA sy'n smyglo cyffuriau a'r IRA sy'n eu dwyn oddi arnyn nhw?'

'Rhywbeth felly. Roedd popeth yn ei le. Roedd ein bois ni rownd y Berig ym mhob man. Pysgotwyr ran fwyaf.'

'Dwi'n gwybod, mi welais i nhw. Doedden nhw ddim yn edrych yn bysgotwyr credadwy iawn.'

'Adaryddwyr ar y clogwyni? Welsoch chi'r rheini?'

'Naddo.'

'Casglu gwybodaeth oedden ni am ei wneud. Y *sting* wedyn. Lluniau fideo o bopeth. Y *drop*, y casglu, y prosesu. Fe gawson ni'r cyfan: y teiars yn gadael Teiars Glan y Môr, cael eu cludo ar y lorri laeth, y cyfnewid yn Telford, y ddolen i TT Tyres, ac wedyn aeth y sbaner i'r wyrcs go iawn. Mae'n debyg i Price ddweud wrthoch chi beth ddigwyddodd yn fan 'na. Fe gollwyd y trywydd wedyn, sy'n biti. Roedd popeth yn mynd mor dda. Rydyn ni'n amau mai bois o Ogledd Iwerddon oedden nhw, ond dydyn ni ddim yn siŵr eto. Dydy dynion marw ddim yn dweud lot.'

'Felly, bois yr IRA oedd yn y BMW yna. A'r cwestiwn mawr nesa ydy pwy laddodd nhw?'

'Wyddon ni ddim. Yr INLA efallai,' meddai Stanley gan godi ei ysgwyddau. 'Yr unig gliw gawson ni o'r CCTV ym maes parcio gwasanaethau Telford o'dd fod dau feic modur wedi dilyn y BMW i lawr i'r draffordd. Dim rhif. Y trywydd yn hollol farw wedyn.'

'Marchogion y fall, ie?' meddai Goss. 'Be am y criw yn y BMW?'

'Fyddwn ni ddim yn colli llawer o gwsg drostyn nhw. Rwy'n credu ein bod ni wedi rhoi tolc sylweddol yng ngallu'r ddwy ochr i smyglo. Felly mae'n ganlyniad reit foddhaol ar y cyfan. Ddim yn berffaith, ond yn ganlyniad serch hynny. Sut cawson nhw wybod, wyddon ni ddim.'

'Ond roedd rhywun yn gwybod,' meddai Goss.

'Oedd,' meddai Stanley'n dawel. 'Ydy hynny'n ddigon?'

'Un cwestiwn bach arall,' meddai Goss.

'Ie?'

'Pam penderfynu dweud wrtha i rŵan?'

'Meddwl ei bod hi'n well 'ych cael chi'r tu mewn i'r babell yn piso mas nag ar y tu fas yn piso i mewn. Efallai y byddai wedi bod yn syniad gwell o'r dechrau,' meddai Stanley â gwên.

'Mi adawa i chi dacluso,' meddai Goss.

'Deng munud ac fe fyddwn ni wedi gorffen. Fasech chi'n gofyn i Mandy ddod yn ôl i mewn?'

Gadawodd Goss.

*   *   *

Cadwodd Stanley at ei air. O fewn deng munud roedd Mandy'n gadael yr ystafell yn cario bocs llawn papurau heibio i gownter y ddesg flaen lle pwysai Goss. Dilynodd Stanley hi'n fuan wedyn yn cario cas gliniadur yn un llaw a chas lledr bychan yn y llall. 'Yn trosglwyddo'r swyddfa yn ôl i realiti. Diolch a ffarwél,' meddai.

'Wnaethoch chi gyfarfod Gruffudd ap Brân erioed?' holodd Goss yn sydyn.

'Naddo, fel mae'n digwydd,' atebodd Stanley. 'Ond mae'n bryd i ni fynd nawr.'

'I ble?' holodd Goss wedyn.

'Yma ac acw,' atebodd Stanley. 'Chi ddim yn stopio, y'ch chi?' ychwanegodd wedyn.

'Cynneddf hen gopar du a gwyn, chi'n gweld,' meddai Goss ar ei ôl wrth i Stanley fynd trwy'r drws.

Trodd Stanley'n ôl a gwenu. 'Gadewch lonydd i bethau, da chi,' meddai'n bendant. 'Gadewch bethau i ni. Y cwbl ddweda i ydy fod lot mwy yn y potes nag y gwyddoch chi amdano. Gadewch lonydd i bethau a mwynhewch eich ymddeoliad. Iawn?'

Nid atebodd Goss. Gadawodd Stanley.

Gwyliodd Arthur yr heddwas ifanc yn llwytho'i bapurach a'i gyfrifiadur i gist y car a mynd i eistedd wrth ochr Mandy. Taniodd hithau'r injan a diflannodd y car i draffig boreol y Rhewl.

Daeth James o'r ystafell gefn â'i baned goffi arferol.

'Sgwn i welwn ni nhw eto,' meddai Goss yn fyfyrgar.

'Gobeithio ddim,' atebodd James. 'Fydd fawr o golled ar 'u hôl nhw. Mae'r bywyd tawel – dwyn defaid a ffrae yn y Bull ar nos Sadwrn – yn hen ddigon o gyffro i fi.'

'Dwi am bigo dy frêns di,' meddai Goss yn sydyn.

'Sdim lot i ga'l, ma' arna i ofan,' meddai James.

'Ond mi *wyt* ti'n gwybod popeth am bawb.'

'Trio, syr.'

'Be wyddost ti am y Cymrodyr?'

'Pwy?' atebodd James.

'Diddorol,' meddai Goss a throi at ei ystafell. 'Tria gwglo'r peth i mi – neu be bynnag wyt ti'n 'i wneud ar y cyfrifiadur yna rwyt ti'n gymaint o *whizz* arno fo.'

*   *   *

Eisteddodd Goss yn ei swyddfa'n hir yn synfyfyrio. Trodd yn ei gadair i edrych trwy'r ffenest a thrawodd ei olwg ar y bag plastig o ddillad Prendergast druan oedd yn dal yn y gornel heb ei symud. 'Daria,' meddai, yn melltithio'i hun am beidio â'u rhoi'n ddiogel yn y storfa.

Cododd y bag a thynnu'r dillad llosgedig allan fesul un. Edrychodd arnynt yn hir. Rhoddodd ei law ar ei frest fel y cofiai Prendergast yn ei wneud yn yr ysbyty, cyn codi'r siaced i'w harchwilio eto, yn fwy gofalus nag o'r blaen. Teimlodd y brethyn ger y frest ac edrych yn y boced fewnol. Doedd dim byd ynddi. Teimlodd ar hyd y llabed a darganfod dim ar yr ochr dde, ond roedd rhwyg bychan yn y llabed chwith, a gallai deimlo rhywbeth caled ac anhyblyg y tu mewn. Gwthiodd ei fys i'r twll, tynnu cerdyn plastig bychan allan a'i ddal yn ofalus rhwng dau fys. Doedd dim difrod nac ôl llosgi arno.

'Bingo,' meddai'n sydyn a chodi'r ffôn. 'James,' meddai, 'ty'd i mewn. Dwi isio pigo dy frêns di am rywbeth arall.'

'Ie, syr?' meddai James gan roi ei ben heibio i ddrws y swyddfa.

'Faset ti'n gallu darllen be sy ar hwn?'

Derbyniodd James y cerdyn. 'Wrth gwrs,' meddai. 'Dewch gyda fi.'

Dilynodd Goss e'n ufudd i'r ystafell y tu ôl i'r cownter, lle cadwai James ei beiriant coffi a'i gyfrifiadur. Ymbalfalodd yn un o'r droriau, tynnu bocs bychan allan a'i gysylltu â'r cyfrifiadur. 'USB drive allanol,' meddai'n wybodus.

'Ocê, ocê, ond be sy arno fo?'

Gwthiodd James y cerdyn i dwll yn y bocs ac aros tra dôi'r cyfrifiadur o hyd i'r teclyn newydd. Cliciodd James y llygoden ac agor sgrin oedd yn dynodi cynnwys y cerdyn. 'Llunie,' meddai. 'Lot fawr o lunie. Co' bach camera yw hwn. Chi am 'u gweld nhw?'

Edrychodd Goss arno'n hurt. 'Wrth gwrs 'mod i am eu gweld nhw. A safia nhw i'r cyfrifiadur yma rhag ofn, a gwna gopi i mi. Fedri di eu rhoi nhw ar y laptop peth 'na sy gen i hefyd?'

'Dim probs,' atebodd James.

Arhosodd y ddau tra trosglwyddodd James gynnwys y co' bach i'r cyfrifiadur.

'Pam eu bod nhw'n cymryd mor hir i'w trosglwyddo?' meddai Goss yn ddiamynedd.

'Ffeilie mawr. Llunie o ansawdd da,' meddai James.

'O. Dwi'n dwp,' meddai Goss gan grechwenu.

Ar ôl i'r lluniau i gyd gael eu trosglwyddo, dadfachodd James y teclyn. 'Beth y'n nhw, syr?' holodd, yn clicio'n ddeheuig i arddangos y lluniau.

'Llunie Gordon Prendergast, y boi fu farw yn y garafán yna yn y Berig. Roedd y cerdyn wedi'i guddio yn ei gôt.'

'Pa got?' holodd James.

'Y gôt o fag dillad Prendergast ddaeth Price o'r ysbyty. Macn nhw wedi bod yn fy stafell i, a dwi'n gwbod y dyliwn i fod wedi 'u rhoi nhw i ti i'w bwcio i mewn a'u storio,' meddai Goss yn llywaeth.

Porodd drwy'r lluniau dros ysgwydd James heb ddweud dim wrth i'r ffeiliau agor fesul un: lluniau o gychod pysgota cimychiaid yn llwytho a dadlwytho'u cewyll, llongau hwylio moethus, lorïau llaeth, lorïau teiars.

'Blydi hel,' meddai Goss yn sydyn. 'Cer yn ôl at y llun dwetha 'na, wnei di, James?'

Rholiodd James yn ôl at y llun blaenorol, oedd yn dangos BMW du y tu allan i un o'r carafannau. 'Roedden nhw'n aros yn y gwersyll!' meddai Goss, mewn fflach o ysbrydoliaeth.

'Pwy ydyn "nhw", syr?'

'Y bois gafodd eu saethu yn y BMW ger Solihull. Nhw wnaeth heijacio'r cyffuriau yna o Telford.'

'Chlywes i ddim byd am hynny. Ro'n i'n gwbod am y BMW tywyll oedd wedi dianc ar ôl yr OK Corral yn Telford. Falle taw dyna pam yr aeth popeth yn boncyrs fan hyn mor sydyn. Falle fydd e ar y newyddion heno.'

'A falle ddim, James. Falle ddim. Dalia i fynd,' meddai Goss yn ddiamynedd, gan bwyntio at sgrin y cyfrifiadur.

Rholiodd James y lluniau ymlaen fesul un. 'Roedd y boi druan wedi gweld popeth, yn doedd o?' Roedd lluniau o bob man yn y Berig, ac amryw rai o'r BMW du eto. 'Ydy rhif y car yn glir ar y llun yna? Fedri di ei wneud o'n fwy?'

Chwyddodd James y sgrin i dair gwaith ei maint, a gellid gweld y rhif yn eglur.

'Fedri di redeg y rhif trwy'r system i ffeindio pwy bia'r car?' holodd Goss.

'Gallaf,' ac agorodd James sgrin arall ar y cyfrifiadur. Teipiodd yn ffyrnig am hanner munud a Goss yn eithaf amyneddgar y tro hwn.

'Y Parchedig Rhydian Williams o Abertawe,' meddai James yn orchestol.

'Mae hynny'n help mawr i ni, yn dydy James?'

'Chi sy'n gwbod, syr. Falle fod y Parchedig yn hoffi mynd ar ei wylie i garafán yn y Berig.'

'Ha ha mawr!' meddai Goss.

'Arhoswch funud,' meddai James wedyn, gan graffu ar y sgrin eto. 'Mae'r Parchedig yn gyrru BMW – un du – yr un math o fodel, ond ddim yn gwmws yr un un. Car diesel sy gyda fe yn ôl hwn. Ac un petrol yw'r un yn y llun.'

'Dirgelwch ar ben dirgelwch, ie, James?'

Roedd James wedi troi'n ôl at y llun. 'Ie. Os edrychwch chi'n ofalus, ma' egsost dwbl ar y car 'ma. Un sengl sy ar y fersiwn diesel.'

'Duw, ti'n nabod dy BMWs, yn dwyt?' meddai Goss.

'Yn arfer bod yn berchen ar un, syr.' Chwyddodd James y llun oedd yn dangos cefn y car. 'Ie,' meddai. 'Ro'n i'n meddwl taw e.'

'Be? Dwed fachgen, dwed.'

'Wy'n meddwl bod plât arall y tu ôl i'r plât hwn,'

meddai, gan bwyntio at rif cofrestru'r car. 'Gallwch chi weld haen arall y tu ôl i'r plât.' O chwyddo'r llun unwaith eto, gellid gweld y ddwy haen yn eglur. 'Der! Ma' ansawdd y llunie hyn yn ffantastig.'

'Ie, ie. Ti'n rêl arbenigwr ar y ffotograffi yma, ond yn bwysicach, nid dyma rif go iawn y car 'te,' meddai Goss.

'Nage.'

'Ac mae car y Parchedig yn debyg o fod yn eistedd o flaen ei dŷ ar hyn o bryd.'

'Ydy.'

'Galle fod ganddyn nhw sawl plât, felly.'

'Galle, ond mae'n talu'r ffordd iddyn nhw fod â chopi o blât dilys, rhag ofn bod 'yn camerâu ni'n digwydd tsecio.'

'Ti'n gwbod dy stwff.'

'Wedi bod yn rhy hir yn yr adran draffig, syr. Mae un peth sy'n 'y mhoeni fi o hyd, cofiwch.'

'Ie, James?'

'Wel, siwd y'ch chi'n gwbod i sicrwydd nad car y Parchedig Rhydian Williams sydd yn y llun? Sdim byd i weud taw'r un car yw e â'r un y cafodd y bois 'na eu lladd ynddo fe, oes e? Ma' lot fawr o BMWs duon yn y byd. A do's dim rhaid i'r ddolen gyswllt arwain 'nôl i'r Berig chwaith.'

'Nac oes, wn i, ond mae'n glamp o gyd-ddigwyddiad, ac am ryw reswm mi ydw i'n trystio'r hen Mr Prendergast. Mi ydw i'n teimlo 'mod i wedi dod i'w nabod o'n go lew. Mae popeth arall yn y lluniau'n cyd-fynd i'r dim â'r hyn wyddon ni am yr holl gybôl ar hyn o bryd. Fe gawn ni wbod go iawn ynglŷn â'r car cyn bo hir. Ond falle ddim,' meddai wedyn yn dawel.

Daeth rhywun at gownter swyddfa'r heddlu a chanu'r gloch.

'Gwaith yn galw, syr. Gallwch chi sgrolio trwy'r llunie'ch hunan – jest gwasgwch y botwm yma i symud ymlaen.'

'Wn i, wn i,' meddai Goss. 'Dwi ddim yn hollol dwp efo'r pethe 'ma.'

Aeth drwy'r lluniau fesul un, gan chwyddo ambell un cyn symud yn ei flaen. Ni fyddai DCI Stanley a'i fyddin o Special Branch wedi gallu gwneud yn ddim gwell, meddyliodd. Roedd toreth o luniau, a thua'r diwedd daeth ar draws tri llun annisgwyl. Rhythodd arnynt yn hir, a mynd yn ôl a blaen rhyngddynt sawl gwaith. Gwyddai o brofiad yn union beth oedd yn y lluniau, ond ni wyddai ymhle cawson nhw eu tynnu. Yn y tri, roedd erwau o blanhigion canabis mewn ogof enfawr, llifoleuadau'n ffugio golau dydd a phibellau dyfrio blith draphlith rhyngddynt.

Roedd y dail yn gyfarwydd iddo. Daethai ei frawd â rhai adre o'r brifysgol unwaith, a smygodd y ddau nhw yn nirgelwch hen sgubor ger eu cartref. Cawsai ambell brofiad arall tebyg yn ei ieuenctid cyn gadael yr ysgol i ymuno â'r heddlu. Ar lefel broffesiynol, daliodd nifer o Bwyliaid beth amser yn ôl yn tyfu'r planhigion yn llofft un o'r tai yn y Rhewl. Tipyn o *coup* ar y pryd. Teimlai braidd yn rhagrithiol wrth eu harestio, ond gwaith ydy gwaith, meddyliodd. Roedd yr un tranglins ganddyn nhw, ond roedd y cnwd hwn ar raddfa lawer ehangach. Doedd dim pobl yn y lluniau, ond roedd ymylon amrwd yr ogof i'w gweld yn glir. Daeth y lleoliad yn amlycach o weld y llun nesaf, sef y fynedfa i chwarel y Berig.

Hwn oedd y llun olaf.

Daeth James yn ôl i mewn. 'Popeth yn iawn?' holodd.

'Dwi angen copïau papur o'r rhain i gyd. Alli di wneud hynny?' holodd Goss.

'Wrth gwrs, syr.'

'A fedri di wneud copi o hwn i mi rŵan?' meddai Goss, gan amneidio at y llun o'r ogof ganabis ar y sgrin.

'Iawn, syr.' Gwasgodd James y botwm priodol a dechreuodd yr argraffydd chwydu'r llun o'i fol.

'Dyna ni, dwi'n meddwl,' meddai Goss. 'O! Gest ti gyfle i gwglo'r Cymrodyr i mi?'

'Naddo, ond fe wna i, syr.'

'Cofia wneud.'

'Iawn, syr. Braidd yn brysur ar y foment. Damwain ar ffordd Aber. Bob amser yn digwydd. Glaw ar ôl tywydd sych.'

'I'r gad, James, i'r gad â thi,' ychwanegodd Goss yn goeglyd. Plygodd y llun a'i roi ym mhoced fewnol ei siaced.

Wrth iddo ddychwelyd i'w swyddfa, bingiodd ei ffôn symudol gyda neges destun. Eisteddodd yn ei gadair i'w ddarllen. Adnabu'r anfonwr y tu ôl i'r llythrennau.

Awydd cinio? holai'r neges.

Ble? atebodd yn drwsgl.

Canolfan arddio Ffos Fain ar yr heol i'r Berig.

Iawn. Pryd? ymatebodd.

12.30.

Gwasgodd *OK*. Gwenodd a chodi.

*   *   *

'Reit,' meddai Arthur wrth basio desg Sarjant James. 'Roeddwn i'n meddwl bod Doug Ellis i fod yn dod yma i gymryd fy lle.'

'Ma' fe i fod yn dod, glywes i.'

'Wel, ffonia i weld lle mae o. Rydw i'n dal ar fy ngwyliau.'

'Ond . . .'

Roedd Arthur ar ei ffordd trwy'r drws. 'Paid ag anghofio'r gwgl yna. Ffonia fi,' clywodd James ef yn dweud wrth iddo ddiflannu i gyfeiriad ei gar trwy'r glaw mân. Roedd cyfnod tes yr haf yn sicr ar ben.

Pennod 11

Roedd hi'n bwrw glaw mawr erbyn i Arthur gyrraedd maes parcio'r ganolfan arddio. Roedd yn gymharol wag, ond roedd Mercedes bychan a'r rhif BNB 125 yno, bron fel petai'n disgwyl amdano, heb fod yn bell o ddrws gwydr y fynedfa.

Cerddodd Arthur trwy ganol y potiau planhigion a'r pensiynwyr i gyfeiriad y caffi bychan tua'r cefn. Roedd ychydig o gwsmeriaid yno, ac eisteddai Branwen wrth fwrdd yn y gornel bellaf yn darllen a throi ei choffi'n araf a myfyrgar. Edrychai'r un mor ddeniadol mewn dillad ffurfiol ag y gwnaethai'r noson o'r blaen, a sionciodd camau Arthur er bod amheuaeth yn corddi'n rhywle y tu mewn iddo a oedd y wraig arbennig hon yn aros amdano fe.

'Fydda i bob amser yn amau pobl sydd efo rhif cofrestru personol,' meddai Arthur yn gellweirus wrth sefyll gyferbyn â'r bwrdd. Gwenodd hithau arno. 'Be ydy'r 'N', gyda llaw?'

'Nia. Coffi?' holodd Branwen.

'Cinio oedd y cynnig ar y tecst.'

'Ocê, cinio 'te, syr! Margaret, dere â bwydlen draw, wnei di?' meddai Branwen yn awdurdodol wrth y fenyw ganol oed y tu ôl i'r bar bwyd bychan gerllaw. Camodd hithau ymlaen yn ufudd i'r gorchymyn. 'Diolch.'

'Oes gen ti'r un dylanwad ym mhob man yr ei di?' holodd Arthur wrth eistedd.

'Dim ond yn y llefydd wy'n berchen arnyn nhw.'

'O. Wyddwn i ddim.'

'Dim ond ers rhyw fis. Nhad am i mi gael rhyw fusnes bach i 'nghadw i mas o drwbwl.'

'Wedi gwneud yr un peth ar gyfer fy mhlant fy hun,' meddai Arthur yn goeglyd.

'Ma' fe am i ni'r epil gadw'n traed ar y ddaear. Carwyn yn y fferyllfa, Gerwyn yn y siop tsips a fi fan hyn, er ein bod ni i gyd yn dod fwyfwy i mewn i'r cwmni ehangach, yn enwedig Carwyn. Mae Nhad yn dal i redeg y maes carafannau a chadw golwg ar y bar. "A fo ben bid gadw ei draed ar y ddaear." Dyna mae Nhad yn ei ddweud bob amser.'

'Wrth gwrs,' meddai Arthur, ddim yn hollol siŵr ai cellwair oedd hi ai peidio.

'Roedd hwn yn rhyw fath o anrheg ysgariad i fi,' meddai, a chyfeirio at y tŷ gwydr enfawr oedd o'u cwmpas. 'Rhywbeth i 'nghadw i yma rhag ofn i fi feddwl dianc i'r ddinas ddihenydd unwaith eto. Dwi wastad wedi bod eisie rhedeg siop. Y drwg yw nag ydw i'n cael digon o gyfle i fod 'ma. Mae'r gwaith cyfreithiol yn drwm ar hyn o bryd,' ychwanegodd.

Wrth iddi siarad, sylweddolodd Arthur nad cellwair oedd hi, a'i bod yn agor cil drws i fyd hollol anghyfarwydd iddo, un lle roedd bod yn ariannog yn sefyllfa naturiol, a grym a chyfrifoldeb yn dod yn naturiol hefyd. Mae arian newydd yn ymffrostio'n groch, ond mae arian hon, er yn amlwg, yn dawel a hunanfeddiannol, meddyliodd.

'"Y cwmni ehangach"?' holodd Arthur.

'Dyw e ddim yn gyfrinach. Daliadau'r Berig.'

'Cwmni mawr?'

'Mawr iawn i'r ardal hon, wel, i unrhyw ardal, a dweud y gwir. Synnet ti.'

'"Daliadau'r Berig"?'

'Cyfranddalwyr lleol ac o bedwar ban.'

'Y Cymrodyr?'

'Rhai.'

'Fatha pwy?'

'Neb faset ti'n ei nabod. Ta beth, ddes i ddim â ti 'ma i siarad siop,' ychwanegodd hi wedyn. 'Cinio ddwedais i, a chinio gei di.'

'Ydy o'n ddrud yma? Ar gyflog plismon ydw i, cofia.'

'*On the house*, gyda chyfarchion y perchennog,' meddai hi â gwên. 'A beth wyt ti wedi bod yn ei wneud heddi?'

'Wedi bod yn dal dihirod Dyfed ers y bore bach, ond ddois i ddim yma i siarad am waith, chwaith,' atebodd Arthur gan grechwenu.

'*Touché!*' meddai hi. Edrychodd o'i chwmpas i sicrhau nad oedd Margaret yn y golwg, na'r cwsmeriaid eraill yn gwylio, cyn estyn dros y bwrdd a rhoi cusan ysgafn ar ei foch.

'Am be oedd honna?' holodd Arthur yn gellweirus.

'Jest rhag ofn i ti anghofio am y noson o'r blaen.'

'Pam, be ddigwyddodd?'

'Dim lot, fel mae'n digwydd,' ymatebodd hithau'n ffugio difaterwch. 'Faset ti'n ystyried gwneud "dim lot" eto?' ychwanegodd wedyn.

'Falle. Mae'n dibynnu,' meddai Arthur.

'Dibynnu ar beth?'

'Os ydw i wedi cael rhywbeth i'w fwyta gyntaf.'

'Y'ch chi'n barod i archebu, Branwen?' daeth llais Margaret uwch eu pennau.

'*Baguette* ham a salad, dwi'n meddwl, a chi, Mr Goss?'

'Ham yn swnio'n dda i mi hefyd, a phaned o de, plis.'

Trodd y ddau i wenu'n hir ar ei gilydd ar ôl i'r weinyddes fynd.

'Ti'n rhydd i adael y siop, 'te?' holodd Arthur.

'Fi yw'r bòs. Galla i adael unrhyw bryd. Beth am waith plismon?'

'Dwi'n dal ar fy ngwyliau!'

*　　　*　　　*

Gorweddai'r ddau'n yfed o lygaid ei gilydd ar gynfasau sidan gwely Branwen. Roedd y ddelfryd yn parhau, meddyliodd Arthur. Hi oedd y fenyw harddaf a welodd erioed, a'i gwallt cochlyd yn gudynnau blith draphlith dros y gobennydd.

'Sut oedd "dim lot"?' holodd Arthur.

'Hen ddigon,' atebodd hithau a'i gusanu'n ysgafn ar ei drwyn. Roedd chwys eu caru'n dal i fod ar eu crwyn.

Trodd Arthur ar ei gefn ac edrych ar y nenfwd.

'Beth sy'n bod nawr?' holodd Branwen.

'Be?'

'Jest bod yr olwg bryderus yna ar dy wyneb di eto.'

'Wel, meddwl oeddwn i mai dyma'r prynhawn dydd Mawrth gorau ges i erioed. Does 'na fawr ddim i'w ddweud dros brynhawniau Mawrth ar y cyfan, ond mi fydda i'n rhoi hwn i lawr fel yr un gorau.'

'Ti'n llawn *compliments*, yn dwyt ti!' a rhoddodd Branwen gic chwareus iddo dan ddillad y gwely.

'Dwi wedi sylweddoli rhywbeth arall hefyd,' ychwanegodd Arthur yn ffug-ddifrifol.

'A beth yw hwnnw, ga i ofyn?'

'Wel, mae dynes wedi cymryd mantais ohona i, a tydw i ddim hyd yn oed yn gwbod pwy ydy hi go iawn.'

'Ym mha ffordd?'

'Wel, be ydy dy gyfenw di i ddechre?'

'Brân, erbyn hyn. Mi newidiais i e'n ôl ar ôl yr ysgariad. Quinn oedd e. Es i'n ôl at yr enw gymerodd Nhad. Mae angen enwau trawiadol yng Nghymru – gormod o Daviesys a Jonesys yn ei farn e.'

'Y cyn-ŵr?'

'Gwyddel. Cyfreithiwr. Cyfarfod yn Rhydychen. Priodi'n rhy ifanc. Dianc oddi wrth gaethiwed y llinach oedd yr atyniad. O'n i'n dipyn o rebel yn y dyddie a fu. Plant. Y gŵr yr un mor henffasiwn â'r hyn ddihangais i oddi wrtho. Tipyn o *control freak*, a dweud y gwir. Fi am fod yn fi. Fe am i fi fod yn estyniad ohono fe.'

'Drodd pethe'n gas?'

'Fe ges i ambell gernod dros y blynyddoedd. Mae pobol barchus yn dyrnu eu gwragedd hefyd, ti'n gwybod. Digon? Beth am i ti weud dy hanes di?'

'Braidd yn ddiflas ydy'r stori, a dweud y gwir. Priodi, plant, ymbellhau, gwahanu. Doedd gwaith ddim yn help, na'r ffaith nad o'n i'n un o gymdeithaswyr mawr y byd. Dianc at y botel am gwmni wedyn.' Oedodd cyn gofyn, 'Dianc yn ôl yma wyt ti wedi 'i wneud y tro hwn?'

'Ddim yn union, ond mae pethe'n dipyn mwy diddorol yma na phan adawes i.'

'Ym mha ffordd?'

'Wel, mae beth mae Nhad wedi ei greu yma'n eitha cyffrous.'

'Sut?'

'Beth sy wedi digwydd yn y Berig i ddechre. Mae e wedi llwyddo i greu "delfryd Gymreig". Wn i ddim os taw delfryd yw hi go iawn, ond yn sicr mae'n lle Cymreig, a Chymraeg o ran hynny. Weli di ddim gweithwyr di-Gymraeg yn cael eu cyflogi gan Ddaliadau'r Berig. Mae Nhad wedi atgyfodi cysyniad y teyrn. Fe neu'r cwmni sy biau bron pob busnes yn y dre erbyn hyn, ac mae sawl prosiect newydd ar y gweill. Ni oedd piau'r chwarel ers y dechrau, wrth gwrs.'

'A'r ganolfan arddio?'

'Wrth gwrs,' meddai Branwen eto â gwên. 'Mae hyd yn oed busnes sy ar ei ben-ôl yn llwyddo a'r llaw iawn ar y llyw. Rwy'n hoff o roi ymgeledd i achosion coll,' ychwanegodd gyda chusan arall ar drwyn Arthur cyn mynd ymlaen. 'Mae popeth yn llwyddo, o ran hynny, a synnet ti pa mor bell mae'r llwyddiant yn treiddio bellach, ond mae pawb yn hapus.' Oedodd Branwen yn fyfyrgar. 'Ydy e'n iawn? Ydy hon yn gymdeithas iach? Dyna gwestiwn arall. Ond mae pawb yn ddiogel, pawb yn daclus, a does neb am droi'r drol na chynhyrfu'r dyfroedd. Dyna beth oeddet ti'n ei wneud.'

Nid ymatebodd Arthur am funud. 'Ydy Teiars Glan y Môr yn rhan o Ddaliadau'r Berig?' holodd yn sydyn.

'Na. Mae'n dal yn annibynnol ar hyn o bryd, ond fe fydd dan yr adain cyn bo hir, dwi'n credu,' meddai Branwen ag amnaid wybodus.

Roedd haul y prynhawn yn tywynnu trwy'r ffenest agored erbyn hyn, a chwa o wynt yn cynhyrfu'r llenni, a theimlai Arthur groen Branwen yn gynnes yn erbyn ei gorff. Ym mhoced ei gôt dan y ffenest roedd y llun a argraffodd James iddo cyn iddo adael swyddfa'r heddlu.

'Mae angen lot fawr o bres i wneud hynny,' meddai Arthur.

'O, oes.'

'O ble daeth o, 'te?'

'Blydi hel, ti ddim yn rhoi lan, wyt ti?'

'Y Cymrodyr?'

'Ie. Mae jobyn da wedi cael ei wneud o farchnata'r

ddelfryd. Mae Nhad yn adnabod pawb, ac mae pobol yn ciwio i ymuno bellach. Mae llwyddiant yn esgor ar lwyddiant. Ond dwi ddim yn y cylch cyfrin. Menyw ydw i, wedi'r cwbl. Carwyn sy'n deall yr ochr ariannol. Cyfraith prynu a gwerthu yw fy nghyfraniad i.'

'Pwy sy'n rhan o'r Cymrodyr yma 'te?'

'Pwy sydd ddim, cyn belled â'u bod nhw'n Gymry Cymraeg. Sdim gair o Saesneg yn y cyfarfodydd. Mae cyfarfod nos yfory yng Ngwesty'r Graig. Fe synnet ti pwy fydd yn troi lan 'na. Dyna ddigon nawr, Inspector Goss.'

'Un cwestiwn arall. Ydy dy dad yn gwybod amdanon ni?'

'Nag yw, ond os ydyn ni am i bethau ddatblygu fe fydd yn rhaid iddo gael gwybod. Nid Nhad fydd y broblem, ond Gerwyn.'

'Sut hynny?'

'Mae Gerwyn yn ystyried mai ei ddyletswydd ef yw edrych ar ôl ei chwaer fawr. Pan glywodd e beth oedd fy ngŵr wedi bod yn ei wneud i fi, fe wnaeth yn hollol siŵr na fyddai'n digwydd eto.'

'Crasfa go iawn i Mr Quinn?'

'Ddim yn union. Dim ond bygwth rhywbeth llawer gwaeth, a dydy Gerwyn ddim yn berson mae rhywun yn dadlau ag e nac yn amau ei fwriad.'

'Diddorol,' meddai Arthur yn fyfyrgar. 'Ydy'r ffaith fod gen i duedd i gynhyrfu'r dyfroedd yn broblem, ti'n meddwl?'

'Ydy, ond falle taw dyna'r atyniad mwya i fi. Nawr cau dy ben a mwynha weddill dy brynhawn Mawrth,' meddai hi, a chlosio ato unwaith eto.

* * *

Roedd haul diwedd haf yn dechrau disgyn i gyfeiriad y môr pan adawodd Arthur y bwthyn. Wrth iddo droi ei gar i'r lôn fawr, roedd ei galon yn curo. Ni wyddai pam. Oedodd i wylio am geir. Ni welodd yr un, dim ond beic modur wedi ei barcio mewn cilfach ar ochr y ffordd. Roedd gŵr praff mewn lifrai du'n pwyso yn ei erbyn. Roedd yr helmed ar ei ben yn cuddio pwy ydoedd.

Craffodd Arthur am eiliad cyn troi i'r ffordd a gyrru heibio iddo. Safai'r dyn fel delw a dim ond symudiad bychan o'i ben a dystiai i'w lygaid ddilyn Arthur wrth iddo fynd heibio. Wedi i sŵn car Arthur bellhau, cododd y dyn ei goes dros gyfrwy'r beic, tanio'r peiriant a gyrru i ffwrdd yn hamddenol.

*   *   *

Aeth Arthur yn ei flaen tua'r Rhewl. Cadwai olwg y tu ôl iddo i weld os oedd yn cael ei ddilyn. Stopiodd mewn cilfach i weld a ddôi beic modur ar hyd y ffordd. Ni ddaeth yr un. Tybed a olygai hynny fod y gath allan o'r cwd? meddyliodd.

Canodd ei ffôn symudol.

'James sy 'ma,' daeth y llais. 'Wedi bod yn trio'ch ffono chi trwy'r prynhawn. O'dd 'ych ffôn chi ddim mla'n.'

'Dim signal ble roeddwn i.'

'O. O'ch chi moyn i fi ffono i weud am y gwglo.'

'Ie, be gest ti?'

'Wel, ddim lot a gweud y gwir. Ffindes i ryw wefan oedd ar gyfer Cymry ar wasgar, math o beth.'

'Cymry ar wasgar?'

'Ie, fel sy yn y Steddfod.'

'O.'

'Lot o sôn am ddosbarthiade Cymraeg a nosweithie llawen a chymanfa ganu a lot o'r pethe ma' Cymru tramor yn 'u neud. Ma' fe fel rhyw fforwm i Gymry dros y byd.'

'Mae hynny'n help mawr!' meddai Goss braidd yn sych.

'Wedi gweud 'ny, o'dd dolen gyswllt eitha diddorol ar un dudalen yn sôn am y "datblygiad", a phan glices i arni, o'dd hi'n agor gwefan tre'r Berig. Es i mewn, ac o'dd llunie neis o'r dre, a'r datblygiade, a lot o sôn am fuddsoddiade. Un peth weles i'n od o'dd sôn am ryw "bwyllgor buddsoddiadau".'

'Ie?'

'Wel, ma' hwnna'n cwrdd heno, ond do'dd e ddim yn gweud ble.'

'Diddorol, Sherlock, diddorol. Unrhyw beth arall?'

'Wel, jest un erthygl papur newydd. O beth wy'n 'i ddeall, cafodd 'i gwahardd o bapur yn Boston yn America, ond ma' hi wedi cyrraedd y we rywsut.'

'Pwy ysgrifennodd hi?'

'Rhyw fachan o'r enw Ezra Lake.'

'Be oedd teitl yr erthygl 'ma?'

'Ma' hi 'da fi man hyn. Wy wedi neud *printout* i chi. "Velvet Mafia", dyna'r teitl.'

'Da iawn, James. Ti'n werth y byd yn grwn. Ti'n rêl boi ar y stwff technegol 'ma.' Diffoddodd y ffôn. Pendronodd yn hir cyn codi'r ffôn eto a deialu.

'Price?'

'Ie, syr,' daeth yr ateb.

'Ti'n dal yn fyw?'

'Odw, syr.'

'Yn cerdded?'

'Odw, syr.'

'Ty'd i fy fflat i mewn hanner awr.'

'Iawn, syr.'

Diffoddodd Goss y ffôn unwaith eto a thanio'r car.

*　　*　　*

Eisteddai Gruffudd a Carwyn ap Brân yn lolfa'u tad. Roedd potyn coffi gwag o'u blaen. Roedd yr adroddiad dyddiol yn dirwyn i ben. Edrychai Gruffudd i berfeddion ei gwpan a'i feddwl ymhell.

'Dyna ni 'te, Nhad,' meddai Carwyn.

'Popeth yn barod?' gofynnodd Gruffudd.

'Ydy, popeth yn barod. Popeth yn lân, popeth yn daclus, popeth yn glir. Pawb yn dod a phopeth yn barod. Yn union fel o'ch chi moyn, Nhad.'

'Ydy Mr Lloyd o Boston wedi cyrraedd?'

'Ar y cwrs golff gyda Mr Ellis o Sydney ar hyn o bryd. Dylai Mr Parry o Pennsylvania fod yn y cyffinie erbyn hyn hefyd. Fe laniodd ei awyren breifat yn y canolbarth ryw awr yn ôl ac mi fydd yma erbyn y cyfarfod. Mae'r offer cyfieithu'n barod hefyd. Merch dda iawn, yn werth ystyried ei chyflogi'n llawn amser yn fy marn i.'

'Ydy hi'n bert?'

'Wel, ydy.'

'Mae'n hen bryd i ti gael gwraig,' meddai Gruffudd. Gwenodd Carwyn. 'Mae heno'n gyfarfod pwysig, Carwyn.'

'Rwy'n gwybod hynny.'

'Dydy pawb o bedwar ban y byd ddim wedi bod yma gyda'i gilydd o'r blaen. Mae hyn yn dipyn o lwyddiant, ti'n gwybod.'

'Tipyn mwy na "thipyn", fydden i'n feddwl, Nhad.'

'Ti fydd yn gorfod edrych ar ôl y siop ar ôl i mi fynd.'

'Fe wna i, Nhad, peidiwch â phoeni, fe wna i.'

'Oes llechen lân 'da ti erbyn hyn?' meddai Gruffudd yn sydyn, gan godi ei olygon o'r gwpan ac edrych i fyw llygaid ei fab ieuengaf.

'Oes, Nhad.'

'Dim byd ar ôl all dy bardduo?'

'Dim.'

'Iawn. Dim ond ti all gynnal y ddelfryd hon. Dim ond ti.'

'Mi wn, mi wn.'

Daeth cnoc ar y drws.

'Dewch i mewn,' meddai Gruffudd, a daeth Gerwyn trwy'r drws yn ei lifrai lledr a'i helmed yn ei law.

'Meddwl y dylech chi wybod, Nhad,' meddai, yn amlwg wedi ei gythruddo.

'Gwybod beth? Nawr eistedd i lawr. Fe gaiff Marged wneud potyn arall o goffi i ni. Beth yw achos yr holl ffwdan yma?' Roedd Gerwyn, er gwaetha'r enw oedd ganddo fel tarw digymrodedd, fel oenig dof o flaen ei dad. Mae'n debyg mai'r ffaith fod ei dad wedi llwyddo i'w achub rhag llid y gyfraith gynifer o weithiau yn ei ieuenctid oedd yn gyfrifol am y parchedig ofn a ddangosai Gerwyn tuag ato.

'Branwen,' meddai Gerwyn.

'A beth am Branwen?' holodd Gruffudd. 'Does dim byd yn bod, oes e?' ychwanegodd, a phryder yn ei lais yn sydyn.

'Wel, nac oes,' atebodd Gerwyn, ac ymlaciodd Gruffudd. 'Wel, oes, mewn rhyw ffordd.'

'Pa ffordd?'

'Mae Goss wedi bod yn ei holi,' atebodd Gerwyn braidd yn wylaidd, yn dechrau teimlo'n euog am gario clecs am ei chwaer fawr.

'Ydy e nawr?'

'Ydy. Ma' fe wedi bod gyda hi trwy'r prynhawn.'

'Ydy e nawr?'

'Ydy.'

'Ddim ar fusnes yr heddlu roedd Goss yno. Busnes tipyn yn fwy personol, dwi'n credu. Ro'n i'n amau mai fel 'na byddai pethau'n datblygu,' meddai Gruffudd yn bwyllog.

'Beth? O'ch chi'n gwybod?' holodd Gerwyn.

'Wel, ddim yn gwybod yn union.'

'Chi am i mi bwyso arno fe, Nhad?'

'Na, ddim yn y ffordd rwyt ti'n arfer pwyso ar bobl, Gerwyn. Mae lle i hynny, ond ddim gyda Mr Goss. Mae ffyrdd amgenach i'w drin e,' meddai Gruffudd yn bendant.

'Ond buodd e bron â strywa popeth.'

'Do, ond gad di Mr Goss i fi, wnei di? A ddweda i ddim wrth Branwen dy fod di wedi bod yn ysbïo arni. Fyddai hi ddim yn hapus o gwbl, fyddai hi?' meddai wedyn, gan godi un o'i aeliau ar ei fab.

Roedd gwrid yn dechrau codi i fochau Gerwyn a'i anadl yn mynd yn ddyfnach. Nid oedd Carwyn am ddweud dim, gan na wyddai ai tymer neu embaras oedd achos y gwrid. Gwyddai, o gofio ysbeidiau gwyllt Gerwyn yn nyddiau ei ieuenctid, mai tewi fyddai orau.

'Gosteg, fy mab,' meddai Gruffudd yn awdurdodol. 'Mae mwy nag un ffordd o gael Wil i'w wely,' ychwanegodd. Tawelodd Gerwyn bron yn syth wrth glywed y geiriau.

'Mae Branwen wedi cadw Goss allan o'n ffordd ni'n

llawer mwy effeithiol na gallen ni fod wedi ei wneud. Coffi?' holodd Gruffudd wedyn.

'Na,' meddai Gerwyn braidd yn sur. 'Na, dim diolch,' ychwanegodd fel plentyn yn sylweddoli ei ddiffyg cwrteisi. 'Rhaid i fi fynd i baratoi.'

'Rhaid, wir,' meddai Gruffudd.

'Mae Glenys wedi nôl fy siwt o'r glanhawyr ac wedi smwddio fy nghrys, Nhad,' ymatebodd Gerwyn ac arlliw o goegni yn ei lais.

Tra gwyliai Carwyn y tensiwn yn dawel o'r cyrion, pryderai am y dydd pan fyddai eu tad farw. Dim ond tri pherson oedd â dylanwad dros ei frawd: Glenys ei wraig, Branwen, a'u tad, a dim ond eu tad oedd â rheolaeth lawn drosto.

'Well i fi fynd hefyd,' meddai Carwyn yn sydyn. 'Mae'n cymryd oesoedd i fi glymu dici bo.'

Chwarddodd y tri.

'Gyda llaw, mae ffeil y trigolion ar y bwrdd fan 'na,' meddai Carwyn wrth ei dad. 'Cwpwl newydd neis iawn. Byddech chi wedi bod yn hapus gyda'r dewis.'

'Pawb wedi arwyddo'r ymlyniad?'

'Wrth gwrs, Nhad. Roedden nhw'n meddwl eu bod nhw wedi glanio yn y nefoedd, dwi'n meddwl. Job i'r gŵr a thŷ mewn un cyfweliad, ac ro'n nhw wedi bod yn chwilio am y ddau ers achau. Bydden nhw wedi arwyddo unrhyw beth.'

*　　　*　　　*

Tua chwech o'r gloch, eisteddai Price â'i fraich mewn sling mewn cadair esmwyth yn lolfa fechan fflat Arthur.

'Reit, mi wyt ti ar y *sick* a fi ar fy ngwyliau. Dyden

161

ni ddim yn gweithio ar yr un achos, yden ni? Felly mi fedrwn ni siarad yn hollol rydd. Iawn?'

'Ym, iawn, syr.'

'Iawn, Price. Ac mae'r hyn ddudwn ni o fewn y pedair wal yma'n hollol gyfrinachol.'

'Wrth gwrs 'i fod e, syr.'

'Reit, fe gei di ddweud be wyt ti'n ei wybod yn gynta, ac wedyn fe wna i ddweud be dwi'n ei wybod, ac fe ddown ni i gasgliad am y cyfan wedyn.'

'Ydy hyn fel gwaith ditectif go iawn, felly?' holodd Price yn gellweirus.

'Jest dechreua siarad, wnei di!'

*   *   *

Bu eu trafodaeth yn sawl sigarét o hyd, ac erbyn iddi ddirwyn i ben, roedd y golau'n pylu. Cododd Goss i gynnau'r lamp.

'Blydi hel, ma' hyn yn gymhleth,' oedd sylw Price. 'Ma' gyda ni'r cyffuriau, yr INLA a'r IRA, y Cymrodyr, Ap ac Ezra Lake. A dy'n ni ddim callach pwy nath beth i bwy?'

'A'n dyn bach ni, Mr Prendergast. Paid anghofio am Mr Prendergast.'

'A'i ferch e. Beth ddigwyddodd iddi hi?'

'Mae hwn gen i hefyd,' meddai Goss yn sydyn a dangos y llun o'r planhigion canabis yn yr ogof i'r heddwas ifanc.

'Ble gafodd hwn 'i dynnu?' holodd Price. Dangosodd Goss yr ail lun iddo, a mynedfa chwarel y Berig yn glir ar yr arwydd. 'A phwy biau'r chwarel?'

'Gruffudd ap Brân. Falle nad ydy ei ddwylo mor lân wedi'r cwbwl. Mae'n rhaid bod arian wedi dod o rywle i noddi'r fenter fawr yn y Berig. Ond does dim tystiolaeth fod y ddau lun yn gysylltiedig, felly does ganddon ni ddim byd pendant. Dim ond ffydd yn Mr Prendergast.'

Bu tawelwch rhyngddynt am funud.

'Un peth arall,' meddai Goss yn eithaf petrus. 'Mi ddylwn i ddweud wrth rywun, mwn.'

'Ie, syr?'

'Mi ydw i mewn perthynas.'

'Wel, da iawn, syr,' ymatebodd Price a thinc o syndod yn ei lais.

'Paid â swnio mor syn, wnei di? Mae pobol hŷn yn gallu cael perthynas hefyd, wsti.'

'Do'n i ddim yn golygu dim byd, syr.' Teimlai Price ei bod yn dipyn o fraint i'r Inspector ddewis rhannu gwybodaeth mor bersonol gydag e, a theimlodd drueni drosto nad oedd ganddo neb amgenach na chyd-weithiwr go ddiweddar i rannu'r wybodaeth ag ef.

'Ti ddim am wybod pwy ydy hi?'

'Wel odw, wrth gwrs, syr.'

'Branwen, merch Ap.'

'O.'

'Cymhlethdod ar ben cymhlethdod, yntê?'

'Chi'n gweud wrtha i, syr. Chi'n gweud wrtha i!' oedd ymateb syfrdan Price, a'i lygaid fel dwy soser yn ei ben.

'Reit, mae gen i gyfarfod i fynd iddo,' meddai Goss yn ddisymwth. 'Pobol bwysig i'w gweld.' Cododd. Roedd eu cyfarfod yn amlwg ar ben.

*   *   *

'Cymer ofal,' meddai Goss wrth i Price ffarwelio.

'Iawn, syr.'

'Ie, ond cymer ofal go iawn, wnei di?'

'Iawn, syr,' meddai Price eto.

'Ti'n siŵr mai pâr o Nikes oedd y diawl yna yn Telford yn ei wisgo?' meddai Goss cyn i'r heddwas ifanc fynd yn bell.

'Odw, syr. Ond ma' lot fawr o Nikes yn y byd, syr.'

'Oes, am wn i. O, a rhag i ti wastraffu amser yn loetran rownd y tŷ, cer i wefan y Berig i weld yn union pa mor fawr ydy Daliadau'r Berig, wnei di? Mi fase'n dda gwybod yn union faint o ddatblygu sy'n digwydd.'

'Iawn, syr. Unrhyw beth arall?' meddai Price a thinc gellweirus yn ei lais.

'Nac oes. Cer.'

*   *   *

Trodd Goss ei gar i gyfeiriad y Berig. Stopiodd i brynu pecyn o sigaréts. Teimlai'n falch o fod wedi rhannu ei gyfrinach â rhywun. Wrth iddo ddychwelyd i'w gar, aeth un o wynebau cyfarwydd y dihirod lleol heibio. Edrychai'n bur nerfus a sigledig.

'Pob dim yn iawn, Harold?'

'Ydy, Mr Goss,' meddai hwnnw'n floesg gan geisio brysio yn ei flaen.

'Hei, be sy'n bod?' meddai Goss, a chydio ym mraich y dyn. Roedd yn gwisgo hen gôt a jîns budron a phâr o hen sandalau. Roedd ei wallt yn aflêr a'i wyneb yn denau a gwelw. Fyddai Harold byth yn edrych yn iach, ond heno edrychai'n gan mil gwaeth nag arfer. Crynai ei ddwylo, a dôi ambell bwl o gryndod mwy sylweddol drosto o bryd i'w gilydd wrth iddo bwyso yn erbyn ffenest y siop a Goss yn dal ei lawes.

''Sda fi ffyc ôl arna i, Mr Goss. Ffyc ôl, chi'n deall.'

'Dwi'n gwybod nad oes gen ti ddim neu faset ti ddim yn *strung out* fel wyt ti.'

'Fi ddim yn *strung out*. Fi ar y methadon. Ac ma'r ffycin strydoedd yn lân, yn ffycin lân.'

'Pam hynny?'

'Ofn, Mr Goss. Pawb â ffycin ofn.'

'Pwy sy ag ofn, Harold?'

'Smo fi'n mynd i weud hynny, odw i? Jest pawb.'

'Pwy mae pawb yn ei ofni, sgwn i?'

'Smo fi'n gwbod. Jest bod lot o ofan rownd y lle. 'Na i gyd.'

'*Pam* maen nhw ofn 'te? Am fod y polîs wedi bod rownd y lle 'ma?'

'Chi'n jocan, on'd y'ch chi, Mr Goss,' meddai Harold gan edrych yn sarrug ar Arthur am feddwl y byddai gan neb ofn yr heddlu.

'Be 'te? Dwed, a gei di fynd.'

'Mae rhywbeth wedi digwydd. Smo fi'n gwbod beth, ond ma' fe'n rhywbeth mawr, a ma' fe wedi rhoi llond twll o ofan i bawb. Nawr gadewch i fi fynd, plis.'

Gollyngodd Goss ei lawes a dihangodd Harold yn herciog i lawr y ffordd, yn rhegi ac yn diawlio. 'Ffycin bastards glas,' meddai o dan ei wynt wrth fynd ar ei hynt.

*   *   *

Gyrrodd Goss ar hyd y lonydd culion yn hytrach nag ar hyd y brif ffordd. Os oedd camerâu yn y dref yn sbecian ar fynd a dod yn y lle, pur debyg fod ymweliadau â'r gwesty a'r clwb golff yn cael sylw hefyd, a doeth fyddai iddo adael ei gar yn ddigon pell o'r brif fynedfa. Penderfynodd osgoi honno hefyd.

Roedd y llifoleuadau'n torri drwy'r tywyllwch, a'r nos wedi hen gau amdani a hithau'n naw o'r gloch. Gallai Arthur lechu'n hawdd dan orchudd y tywyllwch y tu hwnt i'r pelydrau. Dynesodd at borth y gwesty o gyfeiriad twll rhif deunaw, a darganfod lloches y tu ôl i un o'r perthi a amgylchynai'r fynedfa. Safai dau warchodwr ger y drws. Roedd Goss yn edifar na wisgodd gôt fwy trwchus ac roedd ei draed yn wlyb o'r lleithder oedd wedi disgyn ar borfeydd y cwrs golff.

O'r fan hon, gallai weld i mewn i'r neuadd fawr trwy'r ffenestri. Clustfeiniodd, ond ni chlywai ddim, ac roedd yn rhy bell i adnabod neb, ond gallai weld rhyw chwe deg o ddynion wedi eu gwisgo yn eu dillad gorau o amgylch byrddau crynion fel gwesteion priodas. Nid oedd un fenyw i'w gweld, heblaw am y delynores yng nghornel yr ystafell.

*   *   *

Roedd y ciniawa wedi gorffen. Cododd Gruffudd ap Brân o'r bwrdd, oedd wedi ei osod ychydig yn uwch na'r lleill ar lwyfan isel. Eisteddai Carwyn a Gerwyn naill ochr iddo. Wrth yr un bwrdd roedd y Parchedig Selwyn James ac un neu ddau o westeion dethol eraill. Curodd Ap lwy ar y bwrdd, a bu tawelwch. Cododd ambell un glustffonau cyfieithu i wrando.

'Wel, dyna ni, gyfeillion. Amser diolchiadau ar ddiwedd blwyddyn lwyddiannus. Gobeithio i chi fwynhau'r pryd o ddanteithion lleol. Synnwch chi ddim, mae'n siŵr, i'r gwesty ennill gwobr Blas ar Gymru eleni am yr eildro.' Daeth cymeradwyaeth frwd.

Amneidiodd Ap ar i'r cogydd ddod o flaen y gynulleidfa.

'Meirion. Dere i ni gael dy weld di.' Daeth Meirion i'r blaen yn ei lifrai cogydd i dderbyn cymeradwyaeth bellach. 'Yr unig broblem gyda Meirion yw taw Gog yw e.' Chwarddodd pawb. 'Ond ry'n ni'n maddau iddo gan fod ei fwyd e mor dda.' Chwarddodd pawb eto a chiliodd Meirion yn ei ôl i'r gegin.

'Diolch hefyd i'r Parchedig Selwyn James am y fendith cyn bwyd. Gobeithio y gall sawl un ohonoch ymuno â ni yn y gymanfa ryngwladol nos yfory. Ga i ddiolch hefyd i Mared, ein telynores, am ganu mor swynol.' Cymeradwyaeth. Cododd hithau a gwneud cyrtsi.

'Athrawes yn Ysgol Gynradd y Berig yw Mared. Ry'n ni'n ffodus iawn o'i chael hi.' Roedd nòd gan Ap yn ddigon i ddangos iddi fod ei chyfraniad at y noson wedi dod i ben ac y gallai fynd.

Arhosodd Ap iddi gau'r drws ar ei hôl cyn mynd ymlaen. 'Rhaid i mi ddiolch i Carwyn, wrth gwrs, am ei gyflwyniad yn gynharach heno. Gallwch chi weld yn ddigon clir ble mae'ch arian i gyd yn mynd, ddwedwn i. Daw eich bonws hanner blwyddyn, ynghyd â'r adroddiad blynyddol, mewn byr o dro, a chewch chi mo'ch siomi. Gallwch weld bod pethau mewn dwylo da ar gyfer y dyfodol. Does dim un ohonom yn para am byth.' Daeth cymeradwyaeth arbennig o frwd i Carwyn, a chododd yntau ei law i'w chydnabod. Parhaodd Ap.

'A diolch hefyd i Gerwyn, sy'n gymorth hawdd ei gael ac yn graig i mi. Mae Gerwyn bob amser yn sicrhau bod pethau'n rhedeg yn llyfn. Fe fuodd e'n gymorth arbennig dros yr wythnosau diwethaf. Fel y gwyddoch o'n cyflwyniad, ac yn sicr o'r newyddion, bu ambell elfen anffodus yn llechu yn ein mysg. Ond rwy'n falch o ddweud, gyda chymorth ein cyfeillion yn yr heddlu,' gan gyfeirio at un o'r byrddau, 'y cafwyd diwedd eithaf boddhaol i'r materion hynny. Mae creu paradwys yn waith anodd, cofier.' Pwysodd ymlaen ychydig a sganio'r gwŷr o'i flaen.

'Rydym yn debyg i ffermwr yn braenaru'r tir. Rydyn ni'n chwynnu, yn gwrteithio ac yn puro'r pridd, fel y gall y cnwd dyfu'n gryfach a sythach ar gyfer dyfodol llewyrchus. Rydyn ni ar ein ffordd, gyfeillion.' Daeth cymeradwyaeth eto.

'Felly, yr unig bobol sydd ar ôl i mi ddiolch iddyn nhw ydych chi,' meddai Ap, gan godi ei law a'i thaenu hi'n orchestol dros y gynulleidfa. 'Da yw gweld cynifer ohonoch, o bell ac agos. Gyfeillion, os mai ni yn y Berig sy'n braenaru ac yn hau, chi sy'n dod â'r glaw a'r haul. Hebddoch chi, ni fyddai dim i'w fedi. Felly, diolch i chi i gyd, a boed i ni oll gyfrannu o gynhaeaf toreithiog.' Ar y gair, cododd pawb ar eu traed fel un a chlapio'n frwdfrydig. Cododd Ap ei law i gydnabod y gymeradwyaeth a gofyn am osteg wedyn.

'Gymrodyr, mae'r bar ar agor, ac os ydych chi am awyr iach, mae gwresogydd ar y feranda. Mwynhewch, ond peidiwch â mwynhau gormod, mae'r gweinidog yn ein gwylio,' meddai â nòd gellweirus at y Parchedig.

Cododd pawb ac ymlwybro tua'r lolfa, ac aeth rhai i gyfeiriad y feranda i danio sigâr.

Trodd Gruffudd at ei ddau fab ac ysgwyd llaw â hwy yn frwd.

'Fel o'ch chi'n mofyn, Nhad?' holodd Gerwyn.

Arhosodd Gruffudd eiliad cyn ateb. 'Perffaith, fechgyn. Perffaith,' a gwenodd yn hir ar y ddau.

*   *   *

Gwelodd Goss y tanau trydan yn goleuo ar y feranda wrth i'r gwŷr bonheddig godi o'u byrddau bwyd. Gallai arogli'r mwg yn dod dros yr awel tuag ato yn ei guddfan dan y feranda. Teimlai fel plentyn drwg oedd wedi dod i wylio parti ei rieni pan ddylai fod yn ei wely.

Un o'r smygwyr oedd Arwel Lloyd, a fu'n smygu gydag ef yn siediau'r ysgol slawer dydd ond a oedd bellach yn gwisgo cadwyn Maer y Berig. Saesneg siaradai rhai, ond roedd eu hacenion yn estron. Roedd ambell gynghorydd lleol oedd yn hysbys iddo yno ac adnabu gynghorwyr sir oedd ar Bwyllgor yr Heddlu.

Synnodd pan welodd bedwarawd adnabyddus iawn iddo: y Prif Gwnstabl, Superintendent Whitaker, Lambert y crwner a Jenkins, y prif swyddog tân. Ymlwybrodd y criw at ymyl y feranda, bron fel petaent yn edrych arno. Ni welent ddim ond tywyllwch dudew.

'Mae'n dda gallu gwneud gwahaniaeth,' meddai Jenkins yn hyglyw.

'O fesen, derwen a dyf,' meddai'r Prif Gwnstabl yn wybodus.

'Ie wir,' meddai Lambert, yn amlwg ddim am gynnig ei sylw deifiol ei hun.

'Ydy Goss yn dal yn broblem i ni?' holodd Whitaker.

'Ddim cymaint nawr. Y si yw ei fod e a merch Ap mewn rhyw fath o berthynas,' atebodd y Prif Gwnstabl.

'Yr hen ddiawl!' meddai Lambert. 'Chi wedi gweld merch Ap erioed?'

'Ond os ydw i'n adnabod Goss, fydd yr "hen ddiawl" ddim yn gadael i bethau fod, perthynas neu beidio,' meddai Whitaker wedyn.

'Mae Ap eisiau i ni adael llonydd iddo. Felly dyna wnawn ni,' meddai'r Prif Gwnstabl.

Trodd y pedwar o glyw Goss i gyfeiriad un o'r tanau.

Yn sydyn daeth 'bing' o ffôn Goss yn ei boced yn dynodi bod neges destun wedi cyrraedd. 'Shit!' meddai dan ei wynt, ac ymbalfalu yn ei boced am y botwm i ddiffodd y ffôn. Gogwyddodd Whitaker ei ben a throi i edrych i'r tywyllwch, ond cododd un o'r gwesteion cyfagos ei ffôn symudol i'w glust yn fuan wedyn, a diflannodd chwilfrydedd Whitaker.

Anadlodd Goss yn hir ac yn ddwfn, a phenderfynu mai doeth fyddai ymadael.

*　　　*　　　*

Roedd ei daith yn ôl dros lawntydd y cwrs golff yn dipyn anos, gan iddo ddewis llwybr mwy diarffordd at y car. Roedd y nos yn dywyll ac nid oedd yn sicr o'i ffordd. Aeth i ganol llwyni ddwywaith, a disgyn i un o'r pydewau tywod, ond cyrhaeddodd y gwrych allanol a chael ffordd drwyddo i'r ochr draw. Roedd ei drowsus yn wlyb diferol o'r lleithder dan draed neu o chwys, ni wyddai Goss pa un, a thywod yn glynu wrtho. Daeth o hyd i'w gar yn y tywyllwch a thanio'r peiriant. Nid ysgubodd y tywod oddi ar ei ddillad. Tybiodd mai doethach fyddai gadael cyn i rai o'r gwesteion ddechrau meddwl troi tuag adref.

Pan oedd wedi teithio'n ddigon pell o'r gwesty, stopiodd mewn cilfach i sadio a chael ei wynt ato. Roedd ei feddwl yn gwibio fel trên, a'r chwys yn dal ar ei dalcen. Aeth i'w boced i ymbalfalu am sigarét. Darganfu becyn braidd yn wlyb ac wedi ei wasgu, ond roedd un sigarét yn ddigon sych i'w smygu. Taniodd hi, a chwythu'r mwg trwy'r ffenest.

Tynnodd ei ffôn o'i boced a gwasgu'r botwm i'w ddeffro. Agorodd neges oddi wrth ei ferch yn Awstralia.

Ddim wedi tecstio ar adeg twp y tro hwn gobeithio! Shw mai? Gwenodd Arthur a gwasgu'r bysellfwrdd.

Na, ddim o gwbwl. Jest mewn cyfarfod. Sut mae pethe yn yr haul? a'i anfon.

Poeth! daeth yr ateb.

Rhywbeth tebyg yma! atebodd Arthur, yn falch o rywbeth i ddod ag ef yn ôl i'r byd go iawn.

Ni chysgodd fawr ddim y noson honno, a bwrlwm y diwrnod yn troelli yn ei ben. Roedd cymylau'n cronni uwchben yr atgofion melys am Branwen, ond nid aeth am gymorth y botel yn yr oergell i'w helpu chwaith.

Pennod 12

Braidd yn lluddedig y cerddai Goss o gwmpas ei fflat y bore wedyn. Disgynnodd y *Western Mail* trwy'r drws, a chododd ef i weld lluniau o BMW â'i ben mewn clawdd a'i gist ar agor. Roedd y cyrff wedi cael eu symud cyn i'r wasg gael cyfle i fflachio'u camerâu i'w cyfeiriad. Taflodd Arthur y papur ar y bwrdd coffi. Roedd ganddo ddigon o wybodaeth yn ei ben am y tro.

Penderfynodd mai diwrnod di-ddim fyddai orau ganddo. Nid oedd raid iddo fynd i'w waith, a byddai seibiant o ddiffyg bwrlwm yn gyfle iddo gasglu ei syniadau at ei gilydd.

Edrychodd o amgylch ei annedd llwm. Gwawriodd arno y gallai fynd i chwilio am le amgenach i fyw. Byddai tro o amgylch gwerthwyr tai'r Rhewl yn ddigon o 'ddim', meddyliodd wrth frwsio'i ddannedd.

Canodd ei ffôn symudol. 'Blydi hel,' meddai a chodi'r ffôn. Price oedd yno.

'Wedi edrych ar y wefan yna am y Berig. Do'n i ddim wedi sylweddoli pa mor fawr ma' pethe wedi mynd yno. Mae'r fenter wedi llyncu popeth: busnese, ffatrïoedd, ffermydd, siope, tafarne, ac ma' llwyth o stwff newydd ar fin dod i mewn – marina, busnes atgyweirio cychod, bragdy . . . Chi am i fi gario mla'n?'

Ynganodd Goss rywbeth rhwng ei frws dannedd a'i wefusau, ond aeth Price ymlaen yn llawn brwdfrydedd.

'Mae'r wefan yn rial swish hefyd. Job marchnata da. Ma' rhywun wedi bod yn towlu yffach o lot o arian rownd y lle. Ma'n nhw'n brolio dim diweithdra, cyfloge cyfartal uwch na'r cyffredin, a chymuned Gymraeg a Chymreig iach. Ma' pawb o bobol y byd yn bwriadu mynd i berfformio yn y clwb golff. Angen rhagor?'

'Dwi'n meddwl bod hynna'n hen ddigon, diolch Price. Rŵan cymer hi'n dawel heddiw. Cofia dy fod di ar y *sick*.' Diffoddodd Arthur y ffôn a mynd yn ôl i roi sylw i'w ddannedd.

Newydd gau'r tap ydoedd pan ganodd y ffôn eto. Dynodai'r sgrin mai Branwen oedd yno.

'Helô,' cyfarchodd hi.

'Mae'r gath mas o'r cwd,' atebodd Branwen.

'Dwi'n gwybod,' oedd ymateb Arthur, yn llonni drwyddo dim ond o glywed ei llais, ond yna difrifolodd er ei mwyn hi.

'Sut o't ti'n gwybod?'

'Ro'n i'n ama i mi weld Gerwyn ar ei feic ar ôl i mi adael y tŷ ddoe. Ydy hi'n broblem?' Ni soniodd am yr hyn a glywsai dros ymyl feranda'r clwb golff.

'Er mawr syndod i fi, dwi ddim yn credu,' atebodd hi. 'Fe ddaeth Nhad i'r siop bore 'ma am goffi. Roedd e'n syndod o bositif am y peth. Meddwl y byddai'n broblem i ti. Smo fi am i ti gael ofn na dim byd.'

'O, dwi'n hogyn mawr. Dydy'r llinach ddim yn codi braw arna i, 'mond ti sy'n gwneud hynny.'

'Ha, ha,' meddai Branwen yn sarrug. Oedodd am ennyd cyn ychwanegu, 'Wn i ddim a yw hyn yn symud pethe 'mlaen braidd yn gyflym, ond mae Nhad am i ti ddod am bryd o fwyd i'r tŷ. Braidd yn henffasiwn.'

'Traed dan bwrdd, math o beth?' holodd Arthur yn bryfoclyd.

'Wel, smo fi'n hapus am y peth – mae'n gynnar yn y

dydd, yn dyw hi?' meddai Branwen yn betrus. 'O, rwy'n neud môr a mynydd mas o hyn i gyd nawr! Smo i'n ei feddwl e fel 'na. Ond ti yw'n rebel bach i yng nghanol y ffurfioldeb hyn i gyd. Smo i wedi bod mor hapus ers achau ag ydw i gyda ti. Rwy'n ofni y bydd y pryd ffurfiol 'ma'n sbwylio'r cyfan. Reit, 'na ni, rwy wedi ei weud e.'

'Mi ydw i'n hapus i fwyta efo unrhyw un cyn belled nad oes raid i mi olchi'r llestri.'

'Dyna'r cwbwl sy 'da ti i'w weud, y bastard, a finne newydd ddweud rhai o'r pethe mwyaf rhamantus rwy wedi 'u gweud wrth neb ers dyddiau coleg?'

'Wel, dydy hen gopars ddim yn medru bod yn rhamantus dros y ffôn.' Gwyddai Arthur na fyddai ei sylwadau crafog yn cael eu camddeall. 'Ditto,' meddai wedyn.

''Na i gyd sy 'da ti i'w weud? Ditto?!'

'Wel, mi ydw i'n adleisio be ddwedaist ti ond yn defnyddio ditto i safio amser.'

'Bastard,' meddai hi eto. 'Rwy'n dod rownd i sorto hyn mas. Wyt ti gartre?'

'Ydw.'

'Aros fan 'na. Mae d'angen di arna i, nawr! Hanner awr.' Aeth y ffôn yn farw.

*   *   *

Hanner awr union yn ddiweddarach, stopiodd car Branwen y tu allan i fflat Arthur. Roedd hwnnw wedi sgrialu rownd y lle'n tacluso ac agor y ffenestri. Cafodd hyd yn oed gyfle i roi tro ar yr Hoover. Roedd y lle'n daclus erbyn iddi gyrraedd. Agorodd y drws a sefyll o'i blaen ychydig allan o wynt.

Syfrdanwyd ef o'r newydd fod gwraig mor hardd, gosgeiddig a rhywiol â hon wedi dod i'w fywyd mor ddisymwth. 'Paid â sefyll fan 'na fel delw,' meddai hi'n ddiamynedd. 'Gad i fi ddod mewn.' Caeodd Arthur y drws ar eu holau a chofleidiodd y ddau'n hir. 'Smo fi 'ma dim ond am y rhyw,' meddai hi wedyn. 'Rwy jest moyn bod gyda ti.' Llithrodd y tensiwn oedd yn ei chorff allan drwy ei thraed yn rhywle.

'Fyddai rhyw yn dderbyniol hefyd?' holodd Arthur.

'Jest *get on with it*, wnei di,' atebodd hithau.

*   *   *

Eisteddai'r ddau wrth fwrdd y gegin yn yfed coffi, yntau yn ei ŵn gwisgo a hithau yn un o'i grysau.

'Ti'n gwybod beth?' meddai hi wrth edrych i fyw ei lygaid. 'Dydy'r wisg yna'n gwneud dim i ti.'

'Wel, mi oeddwn i'n bwriadu mynd allan i brynu un newydd,' atebodd Goss.

Rhedodd ei llaw ar draws ei wyneb. 'Dim mwy o gellwair, Arthur. Ti'n gwybod 'mod i'n hollol dros ben llestri mewn cariad â ti, yn dwyt ti? Dydw i ddim wedi teimlo fel hyn am unrhyw un erioed, hyd yn oed Mr Quinn yn ei flodau. Cyn i ti ofyn pam, dwi ddim yn gwybod. Jest bod yna rhyw fath o gydbwysedd rhyngon ni, rhywbeth ynof i sy'n gweddu'n berffaith i rywbeth sy ynot ti. Ac ma' fe'n olreit rywsut. Pan wyt ti ynof i, mae rhyw heddwch yn dod drosto i, rwy'n hapus, ac mae'n troi'n angerdd. Beth ddwedi di, *Mr* Goss? A paid meddwl y galli di weud *ditto* eto.'

'Wel, gan dy fod di wedi gofyn, doeddwn i ddim wedi meddwl dweud tan fod yn rhaid i mi, ond . . .' ac edrychodd Arthur i berfeddion pren y bwrdd, 'ti ydy'r peth harddaf, hyfrytaf sy wedi bod yn fy mywyd i erioed.' Edrychodd i fyw ei llygaid. 'Fyddai'r tail a'r biswail rydw i wedi ymdrybaeddu ynddyn nhw ar hyd fy oes yn golygu'r un dim. Dwyt ti ddim yn ofni 'ngorffennol i, ddim yn troi dy wyneb i ffwrdd . . . a ti'n ofnadwy o dda yn y gwely hefyd,' ychwanegodd â gwên. 'Ydy hynny'n well?'

'Fe wnaiff y tro.' Oedodd am eiliadau hir. Roedd yn llwyr ymwybodol o arwyddocâd ei sylwadau.

'Ddylien ni ddim fod yn dweud pethe fel hyn dros Campari yn Barbados neu rywle?' meddai Goss yn gellweirus. 'Dydy bwrdd y gegin mewn fflat yn y Rhewl ddim cweit yn dod â'r un naws.'

'Cau dy ben,' meddai. 'Nawr 'te, beth am y pryd yma?' ychwanegodd a thinc bragmatig yn ei llais.

'Ie, y pryd 'ma.' Chwythodd Arthur wynt o'i fochau.

'Beth sy'n bod?' holodd Branwen.

'Jest ein bod ni'n gyrru ymlaen braidd yn dda, yn fy marn i.'

'A beth mae hynny'n 'i feddwl?' holodd Branwen yn nerfus.

'Fel soniaist ti ar y ffôn, dwi ddim am i rywbeth mor ffurfiol amharu ar bethau.' Roedd Arthur yn ymwybodol fod crafangau'r teulu'n closio.

'Beth wnawn ni am y peth? Gohirio? Ond bydd y bechgyn gartre o Tenerife ddechrau wythnos nesaf.' Roedd y cymhlethdodau'n pentyrru.

'Na, mynd amdani, am wn i.'

'Reit!' atebodd hithau.

'Pryd fydd o?' holodd Arthur yn betrus.

'Nos Wener?'

'Reit, bòs,' meddai Arthur yn gellweirus. 'Sut dylwn i wisgo?' holodd wedyn. 'Ffurfiol neu *smart casual*?'

'Jest paid â gwisgo fel plismon.'

'Ddo i â photel o win da efo fi?'

'Na. Smo Nhad yn yfed. Yn hollol TT.'

'O,' meddai Arthur.

'Mae hon yn dipyn o fraint, ti'n gwybod,' ychwanegodd Branwen.

'Ydy hi? Pam?'

'Does neb heblaw am y teulu a'r gweision wedi bod i'r tŷ ers marwolaeth Mam, ac mae hi wedi marw ers ugain mlynedd.'

'Felly pam fi?' holodd Arthur.

'Rhoi'r record yn strêt? Efallai ei fod e'n gweld ynot ti beth rwy'n ei weld ynot ti.'

'Hmm. Fe gawn ni weld,' meddai Arthur yn feddylgar.

Cusanodd Branwen ef ar ei dalcen a chodi i wisgo. Cyn hir roedd yn ei gwylio'n cerdded at ei char. Chwythodd wynt o'i fochau unwaith eto.

*   *   *

Doedd y bore ddim wedi bod yn ddi-ddim, ond cadwodd Arthur at ei agenda ar ôl i Branwen fynd adre ddechrau'r prynhawn, ac ymlwybro trwy'r dref o un siop gwerthu tai i'r nesaf. Casglodd daflenni lu o dai ar werth. Digwyddodd basio siop ddillad dynion a tharodd i mewn.

Roedd Mr Thomas wedi bod yno ers Sul y Pys, a'i dâp mesur am ei wegil, yn hen gyfarwydd â'r heddwas oherwydd y lladradau achlysurol a gawsai dros y blynyddoedd diwethaf.

'Dwi angen gŵn gwisgo newydd,' meddai Arthur.

177

'Ma' gyda fi jest y peth i chi, Mr Goss. Jest y peth,' a throdd at ei silffoedd. Cyflwynodd greadigaeth sidan i Arthur, un las a phatrwm modern arni.

'Ie, mi wnaiff y tro'n iawn. Ydy o'r maint iawn?'

'Yn berffaith, Mr Goss. Ddim rhy fawr, ddim rhy fach.'

'Iawn, 'te. Gawsoch chi sêl mor gyflym â hynna erioed?'

'Mr Goss, dyw dynion ddim yn creu ffws a ffwdan wrth wneud penderfyniadau. Yn gwmws fel chi.'

'O,' atebodd Arthur. 'Sut mae'r busnes?' holodd wedyn tra paciai Thomas y gŵn.

'Digon i wneud bywoliaeth a dyna i gyd, Mr Goss. Bydda i'n cwpla cyn bo hir.'

'O?'

'Daeth cynnig na allen i mo'i wrthod gan Dínon, ac rwy wedi ei dderbyn.'

'Dínon?' holodd Goss.

'Ie. Mae siopau gyda nhw ym mhobman erbyn hyn, gan gynnwys Llundain. Y gadwyn sy'n datblygu gyflymaf ym Mhrydain, medden nhw. Efallai gallan nhw wneud mwy na chrafu bywoliaeth o'r lle. Cynnyrch lleol cynllunwyr lleol. Fe gawn ni weld.'

'Ddim yn fy maes i, Mr Thomas, mae gen i ofn. Ond fe wnaeth Laura Ashley'n iawn, wedi'r cwbwl.'

'Do, am amser maith, sbo.'

'Efo pwy fuoch chi'n trefnu'r gwerthiant?'

'Cyfreithwraig o'r Berig. Menyw bert iawn. Canol oed, ond pert.'

'Gwallt cochlyd?'

'Ie, 'na hi. Deall y busnes yn net.'

Diolchodd Goss, talu a gadael.

*   *   *

Galwodd i mewn gyda J. J. Holman, y gwerthwr tai olaf yn y Stryd Fawr. Roedd yn sbecian ar fanylion y tai ar y waliau y tu mewn pan ddaeth Mr Holman ei hun, gŵr canol oed, trwsiadus, ato.

'Mr Goss!' Roedd yn cofio Goss er bod blynyddoedd ers iddo werthu tŷ iddo ef a Gloria. Estynnodd law i'w hysgwyd. 'A sut mae Mrs Goss? Ro'n i ond yn siarad 'da hi wythnos dwetha pan o'dd hi yma.'

'Wel mae hynny'n fwy na wnes i,' meddai Arthur yn sych. Penderfynodd Holman mai doeth oedd peidio dilyn y trywydd ymhellach.

'Ar fater arall,' prysurodd Goss y sgwrs yn ei blaen, 'Be petawn i isio prynu tŷ yn y Berig?'

'O, y Berig,' atebodd Holman â hanner chwerthiniad. 'Ie.'

'Dim siawns, fyddwn i'n ddweud.'

'Sut hynny?' holodd Goss wedyn.

'Does dim tai yn dod ar werth yno.'

'O?'

'Mae'r consortiwm yn y Berig yn prynu popeth. Mae ambell dŷ i'w rentu'n dod aton ni weithiau, ond fel arfer maen nhw'n mynd trwy'r asiant yn y Berig ei hun. Ac os ydych chi am rentu, mae proses archwilio a chyfweld go drylwyr. Ydych chi'n meddwl symud yno?'

'Wel, mae o'n lle go neis, ac mi oeddwn i'n meddwl amdano.'

'Neis? Chi'n dweud wrtha i. Fydde dim problem gwerthu tŷ yno. Popeth yn ei le yn berffaith – delfryd gwerthwr tai.'

'Ond be am y ffws ddiweddar 'ma efo cyffurie?' holodd Goss.

'Ie, ond ma' fe wedi cliro lan nawr, o beth glywes i. Cwpwl o fois lleol am wneud eu ffortiwn, ife?'

'Rhywbeth fel yna,' meddai Goss a chyfeirio'r drafodaeth at faterion llai dadleuol. Ychwanegodd nifer o daflenni pellach at ei gasgliad, diolch am y wybodaeth, a gadael.

*   *   *

Trodd i mewn i swyddfa'r heddlu'n reddfol, bron.

'O'n i'n meddwl bo' chi'n dal ar wylie, syr,' meddai James wrtho.

'Wel, ydw, dim ond picio i mewn i wneud yn siŵr eich bod chi i gyd yn ddiwyd wrth eich gwaith yn fy absenoldeb. Sut mae Doug Ellis yn dŵad ymlaen?'

'Iawn, wy'n meddwl. Ma' fe mas ar hyn o bryd. Ma' rhywun yn dwyn cwads a beics modur o ffermydd. Aeth cwad o Bron Dalar nithwr, a 'na ble mae e.'

'O. Ti'n gwbod yr erthygl 'na argraffaist ti i mi?'

'Hon?' atebodd James, gan gynnig amlen drwchus i Goss.

'Erthygl go hir,' meddai Goss wrth dderbyn a theimlo pwysau'r amlen.

'Mae'r llunie ofynnoch chi amdanyn nhw i mewn 'na hefyd.'

'Ti'n werth y byd, James, werth y byd.' Roedd ar droi i adael pan holodd: 'James, mi wyt ti'n dda efo pethe technegol, yn dwyt ti? Ddim jest cyfrifiaduron.'

'Eitha, syr. Beth chi'n moyn?'

'Pe bawn i am recordio llais heb i rywun wbod, fase'n rhaid cael rhyw declyn sbesial?'

'Ddim y dyddie hyn, syr.'

'Wel, sut 'te?'

'Chi moyn gwneud rhyw *undercover* math o beth?'

180

'Ydw a nac ydw.'

'Defnyddiwch 'ych ffôn. Ma' ffonau'n gallu gwneud pob math o bethe nawr, popeth ond neud dishgled o de. A do's neb yn mynd i ame rhywun sy'n cario ffôn, o's e? Ga i weld 'ych un chi, syr?'

Rhoddodd Goss y teclyn iddo.

'Wela i,' meddai James yn wybodus. 'Ffôn yr heddlu.'

'A?' holodd Goss.

'Wel, mae'n dibynnu faint chi'n moyn recordo. Smo cof y rhain yn fawr. Ac ma' problem arall.'

'Ie?' holodd Goss braidd yn ddiamynedd o weld James yn gwneud môr a mynydd o'i wybodaeth.

'Beth os o's rhywun yn 'ych ffono chi a chithe ynghanol recordo? Fydde'r recordo'n stopo wedyn. Digwyddodd i fi unwaith pan o'dd y ferch yn adrodd yn y steddfod. Eitha embaras, alla i weud 'thoch chi.'

'Ie, ie, ond be ydy'r ateb 'te?'

'Ffôn arall, syr. Un â digon o gof sy'n gallu recordo am yn hir a nad yw neb yn debygol o'ch ffono chi arno,' meddai James, yn ymfalchïo yn ei gyfraniad at beth bynnag oedd cynllwyn Goss. Roedd yn benderfynol o helpu. 'Chi jest yn rhoi'r ffôn i recordo ym mhoced 'ych crys ac fe gewch chi bopeth. Ma' meicroffon sensitif iawn ar y pethe hyn nawr.'

Meddyliodd James am ofyn pwy oedd Goss am ei recordio, ond ailfeddyliodd.

'Diolch, James. Ti wedi bod yn help mawr,' meddai Goss yn feddylgar a throi tua'r drws.

*   *   *

Roedd y gŵr ifanc yn y siop ffonau ar y stryd fawr yn dechnoleg i gyd. 'Mae'n dibynnu beth chi moyn wneud 'da'r ffôn,' meddai wrth Goss. 'Ac mae'n dibynnu faint chi moyn talu, ac a ydych chi am ga'l contract neu beidio. Chi am ga'l *app*?'

'Be chi'n feddwl?' holodd Goss a pheth syndod yn ei lais.

'Chi'n gallu eu lawrlwytho nhw.'

'O, wela i,' meddai Goss, yn deall cwestiwn y gŵr ifanc o'r diwedd. 'Na. Ddim rhy ddrud, dim contract, digon o gof i gadw lot o luniau a sain arno. Dyna ni.'

'Hwn 'te,' meddai'r gŵr ifanc, gan gyfeirio at ffôn tenau, modern yr olwg yn un o'r cypyrddau gwydr. 'Mae *deal* da gyda ni ar y rhain ar hyn o bryd.'

'Swnio'n iawn i mi,' atebodd Goss.

*   *   *

Gadawodd y siop, a'r ffôn newydd yn ychwanegiad at ei siopa, a cherdded yn araf i gyfeiriad ei fflat. Gwrthododd y demtasiwn i alw yn yr Arad ar ei ffordd.

Ar ôl cyrraedd adre, agorodd y parsel â'r gŵn gwisgo newydd ynddo, hongian y greadigaeth lachar, sidan ar fachyn wrth ochr yr hen un lwydaidd yr olwg, a gwenu. Cododd focs y ffôn newydd. Edrychodd arno'n hir cyn ei agor, wedyn chwythodd wynt o'i fochau fel petai'r weithred yn wrthun iddo. Gwagiodd gynnwys y bocs a rhoi'r ffôn i wefru yn y gegin. Gallai anghofio amdano am y tro. Agorodd yr amlen a gawsai gan James. Gosododd y pentwr lluniau i'r naill ochr ac eistedd i ddarllen yr erthygl.

*   *   *

Nid oedd y wybodaeth a ddarganfu ynddi'n newydd iddo, ac o ran tystiolaeth roedd yn ddi-werth. Nid oedd enwau na lleoliadau ynddi, ond roedd yn adlais perffaith o'r hyn a fu ym meddwl Goss. Y peth agosaf at enw yn yr erthygl oedd cyfeiriad at 'a Boston benefactor'.

'Sgwn i pwy ydy hwnnw?' meddai Goss yn dawel. Rhaid fod Ezra wedi taro nerf rhywun â digon o ddylanwad i rwystro'r erthygl rhag cael ei chyhoeddi, meddyliodd. Ond pwy?

Pennod 13

Daeth dydd Gwener o'r diwedd. Roedd Goss wedi pendroni'n hir beth fyddai'n fwyaf addas i'w wisgo. Dewisodd drowsus lliw golau a chrys lliw glas tywyll a phoced ynddo, ac roedd wedi bod â siaced ysgafn i'w glanhau. Roedd yn difaru ei ddewis dillad hafaidd wrth yrru tua'r Berig, a'r glaw yn hyrddio yn erbyn ffenestri'r car. Daethai diwedd yr haf ar amrantiad, bron.

Roedd wedi cael gorchymyn i gyrraedd erbyn saith. Nid oedd am fod yn hwyr. Nid oedd yn siŵr sut y teimlai, ond curai ei galon yn gyflymach nag arfer.

Pasiodd y maes carfannau a'r bar, oedd i'w weld yn eithaf gwag. Roedd cynnydd sylweddol wedi bod yn y gwaith adeiladu yno. Trodd i'r lôn hir a arweiniai at y tŷ mawr ar ben y rhiw, dynesu at giât haearn addurnedig ac aros. Agorodd y giât yn raddol. Ni fu'n rhaid iddo wasgu'r botwm i gyhoeddi ei fod wedi cyrraedd, a pharciodd gyferbyn â'r drws. Roedd y tŷ yn eithaf hynafol yr olwg, ond roedd gwelliannau amlwg wedi eu gwneud iddo.

Agorodd y drws a safai Branwen yno ac ymbarél yn ei llaw, mor hardd ag arfer, a chamodd trwy'r glaw i gysgodi Goss. Rhoddodd gusan iddo ar ei foch fel y byddai wedi ei wneud i gyfaill coleg.

'Ydy'r rhain yn iawn?' holodd, gan gyfeirio at ei ddillad.

'I'r dim. Ti ddim yn edrych fel plismon!'

'Croeso, Mr Goss,' meddai llais grymus o'r tu ôl iddynt, 'neu efallai y galla i'ch galw chi'n Arthur.' Dôi'r llais o ben y grisiau, lle safai Gruffudd ap Brân mewn dillad digon anffurfiol, er mawr ryddhad i Arthur. Roedd ei safle uwch eu pennau, ei gorff cadarn a'i lais yn pwysleisio'i reolaeth lwyr dros y sefyllfa. Cerddodd yn bwyllog i lawr y grisiau a chynnig ei law i Arthur.

'Mae pobol wedi fy ngalw i'n bethau gwaeth,' ymatebodd yntau'n hwyliog, yn gwneud ei orau i gofio nad llanc ifanc yn cwrdd â thad ei gariad cyntaf ydoedd. Derbyniodd law fawr Gruffudd.

'Dewch, y ddau ohonoch. Mae Marged wedi paratoi danteithion lu i ni. Fe awn i'r ystafell hon i aros am y gorchymyn i ddod at y bwrdd,' ac aeth y tri i ystafell lle gwelid yr olygfa dros y Berig yn ei holl ogoniant. Dim ond sudd oren oedd ar gael i'w yfed. 'Dim byd cryfach yn y tŷ, mae gen i ofn,' meddai Gruffudd. 'Ddim bod gen i wrthwynebiad i alcohol, cofiwch, dim ond parchedig ofn ohono, wedi dioddef yn ei sgil flynyddoedd yn ôl, a ddim am fynd yn ôl ato, yndife, Branwen?' Gwyrodd ei ben at ei ferch.

'Ie, Nhad,' meddai hithau â gwên gariadus.

Roedd yn gyfaddefiad a ddaeth yn dipyn o sioc i Arthur mor gynnar yn y noson. Ni soniwyd mwy am y peth, ond teimlai Arthur fod bwriad pendant i'r sylw.

Aeth yr ymgom yn ei blaen, a Branwen yn gymharol dawel yn gwylio'r ddau ddyn yn ymgynefino â'i gilydd trwy fân siarad am y tywydd a physgota. Daeth y gwahoddiad gan Marged y gogyddes i ddod at y bwrdd o fewn rhyw ddeng munud. Ar ôl i'r tri eistedd ar gyfer y pryd, parhaodd y mân siarad am gyfnod: sôn am ddyddiau ysgol, llwyddiant academaidd Branwen ac ambell helynt o ddyddiau ysgol Gruffudd, a'i ddiffyg gorchest mewn unrhyw agwedd o fywyd ysgol heblaw am rygbi. Cyfrannodd Branwen ambell atgof doniol am Arthur o'u dyddiau ysgol hwythau. Prin y cofiai Arthur amdanynt, ond rhaid eu bod wedi gwneud argraff ar ferch iau nag ef.

Roedd y bwyd yn wych. Brithyll oedd y prif gwrs, yn dilyn cawl traddodiadol. Bethan, merch Marged, oedd yn gweini arnynt y noson honno, ac roedd hi'n amlwg yn nerfus. Roedd Gruffudd yn serchus iawn tuag ati, yn ei chanmol yn gyson am ei gwaith, a llaciodd ei nerfusrwydd wrth i'r noson fynd yn ei blaen. Amlygodd Gruffudd, trwy ei agwedd bositif tuag ati, ei allu i reoli sefyllfa a chael y gorau allan o weithwyr.

Rywbryd tua'r pwdin daeth tro mwy difrifol i'r ymgom. Gofynnodd Arthur am gael mynd i'r tŷ bach.

'Yr ail ddrws ar y dde,' meddai Gruffudd, a chododd Arthur.

Tra oedd yno, tynnodd ei ffôn o boced ei grys a gwasgu'r botymau perthnasol ar y sgrin er mwyn i'r teclyn ddechrau recordio. Plygodd ddarn o bapur tŷ bach dros yr wyneb i sicrhau na welid golau'r sgrin trwy ei boced. Roedd wedi sicrhau bod y meicroffon yn wynebu tuag allan. Gwasgodd y botwm i ollwng dŵr i fowlen y tŷ bach a rhedeg y tap am eiliad cyn dychwelyd at ei bwdin.

'Beth wyt ti'n ei feddwl o'r Berig 'te?' holodd Gruffudd yn sydyn, wrth blannu ei lwy i ddarn o darten afalau. Ni chollodd Arthur y newid i'r 'ti'.

'Arbennig,' meddai Arthur. 'Dech chi wedi creu delfryd.'

'Llafur ugain mlynedd. Hoffet ti glywed y stori?'

'Wrth fy modd,' meddai Arthur.

Pesychodd Ap fel petai ar fin dechrau araith go sylweddol. Plannodd ei ddwy law ar y bwrdd a sythu ei freichiau. Edrychodd i gyfeiriad y pot blodau ar ganol y bwrdd.

'Un tro, roedd dyn ifanc o'r enw Gruffudd Davies, o deulu eithaf cefnog,' meddai. 'Roedd ei dad yn berchen y chwarel a fferm yma yn y Berig. Ef oedd yr unig fab, a bu'n dipyn o boendod i'w dad dros y blynyddoedd. Roedd e'n rebel, ac yn gyndyn iawn i ddilyn yn ôl traed ei dad trwy redeg y chwarel a'r fferm. Rhaid cofio bod hyn yn y chwedegau, pan oedd chwyldro yng ngwledydd y gorllewin gwâr, a *flower power* yn gryfach na'r bom. Roedd ieuenctid Cymru'n deffro o drwmgwsg taeogaidd ac roedd Cymdeithas yr Iaith yn magu cyhyrau. Roedd Saunders, D. J. a Lewis Valentine wedi bod yn arwyr i genhedlaeth yn dilyn llosgi'r ysgol fomio, ond ddim i Gruffudd.' Oedodd am eiliad i gasglu ei feddyliau.

'Do,' aeth ymlaen, 'fe gafodd y weithred effaith ar Gruffudd, ond iddo fe, roedd y tri phrotestiwr mewn rhyw wewyr diffocws o heddychiaeth. Os oedd newid i ddod, trwy rym fyddai hynny ac nid trwy ryw ymdrech i godi cywilydd ar y gelyn a chyfaddef eu trosedd. Ym marn Gruffudd, gellid bod wedi ymbaratoi i ymladd eto.

'Beth ddaeth o'r Gruffudd hwn? Wel, ymaelododd â Byddin Rhyddid Cymru a bu'n cynllwynio ac yn martsio yn ei lifrai am flwyddyn neu ddwy, ond ni chyflawnodd ddim. Bu mewn ambell gyflafan mewn dawns a thafarn, a bu'n rhaid i'w dad ei achub rhag llid yr awdurdodau sawl gwaith. Ar ôl y *angst* i gyd, trodd i reoli'r chwarel a'r fferm. Darganfu fod ganddo dalent at fusnes, ond roedd y rebel ynddo o hyd. Roedd rhywbeth yn corddi yn ei fola. Yn ystod y cyfnod hwn, daeth Angharad i'w fywyd, y fenyw hyfrytaf erioed, nid annhebyg i'r ferch sy'n eistedd gyda ni wrth y bwrdd hwn – hardd, deallus a chall – ac esgorodd ar dri o blant. Hwn oedd cyfnod y callio.'

Gallai Arthur weld y dagrau'n cronni yn llygaid Branwen, ond roedd y llif o enau Gruffudd yn ddi-baid.

'Bu farw'r eilun hon dros ugain mlynedd yn ôl. Canser, y lladdwr mwyaf dichellgar sydd, ac roedd bywyd y rebel yn deilchion.' Oedodd Gruffudd mewn parch er cof am ei wraig, ond ailgydiodd yn ei stori wedyn. 'Trodd at y botel am gysur. Ond fu dim tröedigaeth fel un Saul ar y ffordd i Ddamascus. Rhyw wawrio'n raddol wnaeth pethau. Sylweddolodd mor ofer oedd ceisio dymchwel y sefydliad Seisnig, ac mai gwell fyddai ei ddefnyddio i droi'r dŵr i'w felin ei hun. Roedd bod yn greadigol yn dod â llawer mwy o foddhad na bod yn ddinistriol.'

'Ac fe anwyd Daliadau'r Berig?' holodd Arthur.

'Do, ac erbyn hyn mae'n symbol o beth ellir ei wneud yng Nghymru. Mae ein hasedau'n werth miliynau o bunnoedd, a thros fil o bobl yn cael eu cyflogi gennym. Ry'n ni wedi creu delfryd, ac mae buddsoddwyr o bedwar ban byd wedi gweld hynny hefyd. Mae'r pum mlynedd diwethaf wedi bod yn wefreiddiol, ers i ni gael buddsoddwyr mawr i ddod i mewn i'r fenter. Buddsoddwyr bychain oedd yna ar y dechrau, rhai â'r un ddelfryd â mi. Pobl leol yn bennaf. Byddet ti'n adnabod llawer ohonyn nhw. Mae'r Prif Gwnstabl yn un.'

'A Mr Whitaker?' holodd Arthur.

'Ydy, ac rydw i'n siŵr fod y ffaith iddyn nhw ennill ceiniog neu ddwy o'u buddsoddiad wedi bod yn gymorth i gadw'r ddelfryd yn fyw.' Oedodd am eiliad a gwenu.

'Branwen, dwyt ti ddim am glywed yr hen ddyn yn brolio eto, wyt ti? Dwi'n meddwl yr awn ni'r dynion i'r tŷ gwydr i gael coffi.' Roedd yn amlwg nad oedd Branwen i'w chynnwys yn y drafodaeth bellach.

Edrychodd Arthur arni i weld ei hymateb. 'Fe af i i

wneud beth mae merched yn ei wneud,' meddai'n ffug sarrug, yn amlwg yn hen gyfarwydd â ffyrdd henffasiwn ei thad.

'Rwy'n siŵr fod Arthur yn fwy na pharod am fwgyn,' meddai Gruffudd wedyn. Gwenodd Arthur. Doedd dim llawer nad oedd hwn yn ei wybod, meddyliodd. Yn yr ystafell wydr, tynnodd Gruffudd sigâr o focs ar y bwrdd coffi a chynnig un i Arthur.

'Rhy gryf i mi,' meddai Arthur gan wrthod, a thaniodd sigarét.

Camodd Gruffudd at y ffenest a edrychai dros y Berig, oedd erbyn hyn yn llyn o ddotiau melyn a hithau wedi nosi. Camodd Arthur i sefyll wrth ei ochr ac edrych ar yr olygfa. Roedd y llifoleuadau dros y cei a'r promenâd yn amlwg ond prin y gellid gweld y môr. Roedd fel gwagle'n gefndir i'r darlun, er bod y golau o'r clwb golff yn taflu rhywfaint o lewyrch dros ran o'r bae.

Nid edrychodd Gruffudd ar Arthur unwaith tra siaradai, dim ond edrych yn syth trwy'r gwydr. 'Dyma ble mae'r egin wedi tyfu,' meddai wrth gyfeirio at oleuadau'r dref islaw, 'ond mae hadau bellach yn cael eu gwasgaru dros Gymru, ac mae sawl cwmni newydd wedi dod i'r teulu erbyn hyn. Mae cwmnïau bysiau a lorïau; ffatrïoedd llaeth, ffatrïoedd cig, siopau dillad a gwaith atgyweirio cychod, a'r cwmni sy'n berchen ar bron bob erw o dir a weli di drwy'r ffenest hon. Mae gwaith a gobaith yn yr ardal. Mae ambell gwmni yn y gogledd,' ychwanegodd â gwên, a throi at Arthur am eiliad. 'Un cwmni peirianneg ger y Bala, er enghraifft, oedd wedi gweld dyddiau gwell, ond sy bellach wedi profi tro ar fyd ac mae'n dechrau cadw pobl ifanc o'r pentrefi cyfagos mewn gwaith.

'Mae siopau dillad gyda ni yn Llundain, Caerdydd a Birmingham, ac mae cynlluniau ar gyfer un yn Boston ac un arall yn Efrog Newydd. Mae'r brand wedi ei sefydlu bellach,' meddai Gruffudd ac angerdd yn ei lais. 'Fydd hi byth yn fenter rad, ond fe fydd bob amser yn un o safon. Rydyn ni Gymry bob amser wedi meddwl yn fach, ofn mentro ac mae llawer gormod o'r agwedd "fe wnaiff e'r tro" wedi llesteirio'n datblygiad. Mae arnon ni ofn dangos ein hunain rhag ofn i bobl feddwl ein bod ni'n codi uwchlaw'r hyn mae rhagluniaeth wedi ei ragordeinio i ni. Mae dylanwad y capel wedi cyflyru'r genedl i feddwl mai dioddef sydd raid, ac y cawn ein gwobr yn y byd a ddaw. Oherwydd hynny, rydyn ni wedi gadael i Saeson fewnfudo a rhedeg ein busnesau cynhenid. Diolch i'r drefn fod ein gweinidog yn Soar wedi cael ei ddarbwyllo i fod yn dipyn mwy goleuedig yn ei agwedd,' ychwanegodd.

'Roedd y Berig yn mynd yr un ffordd. Roedd tai haf a diffyg gwaith yn gyrru'n pobl ifanc oddi cartref, a'r pentref gynt yn marw bob gaeaf ac yn adfywio bob haf fel lle chwarae i Saeson cefnog. Ond nawr mae'r gobaith wedi dychwelyd. Mae'r pentref yn dref a'r capel yn llawn.'

Oedodd Gruffudd cyn cloi ei araith. 'Dwi'n gobeithio, ar ôl i mi fynd, y bydd yr hyn sydd wedi tyfu yn y Berig yn gallu tyfu mewn sawl ardal arall i ddangos ein brand Cymreig ni fel esiampl o'r hyn y gall cymdeithas fod. Mi fydd hi'n gymdeithas ddidrosedd, hunangynhaliol a Chymreig.'

'Mi fydd rhai'n gofyn a ydy hi'n gymdeithas iach,' meddai Arthur, gan ddal i edrych trwy'r ffenest ac aros am ymateb i'w sylw crafog.

'Sut na fyddai hi'n iach?' holodd Gruffudd.

'Wel,' meddai Arthur gan dderbyn yr her, 'fe fyddai rhai pobl yn dadlau eich bod chi wedi creu cymdeithas ffiwdal.'

Ni chythruddwyd Gruffudd fel roedd Arthur wedi ei ddisgwyl. 'Gallet, fe allet ti ei disgrifio hi fel cymdeithas ffiwdal, a gellid ein cyhuddo o fod yn drahaus, ond chlywi di ddim llawer yn y Berig yn cwyno. Maen nhw'n gwybod mai'r rhyddid pwysicaf yw rhyddid economaidd. Mae sicrwydd ganddyn nhw yn eu bywydau o'r crud i'r bedd os cadwan nhw at y ddelfryd. Ydy democratiaeth yn gweithio? Dydw i ddim yn siŵr. Does fawr o ryddid gan ddyn pan mae e ar y clwt, oes e? Edrych ar rym Tsieina heddiw. Does fawr o ryddid i'r unigolyn, ond y wlad honno sydd bellach yn tynnu pob lifer economaidd yn y byd. Beth bynnag, mae cyngor cymuned gyda ni yma.'

'Ydech chi ar y cyngor?'

'Nac ydw, ond mae Gerwyn, y mab.'

'Ydy'r cyngor yn dilyn y ddelfryd?'

'Wrth gwrs ei fod e,' meddai Gruffudd yn hollol agored.

Bu eiliadau hir o dawelwch tra oedd Arthur yn cnoi cil dros yr hyn a glywsai. 'Ga i ofyn cwestiwn?' meddai.

'Wrth gwrs,' meddai Gruffudd yn hollol hyderus.

'Pam ydech chi wedi dweud hyn wrtha i?'

'Am i ti weld y llun mawr ydw i. Am i ti weld y cyd-destun.'

'Ond pam ydech chi wedi dweud hyn wrtha i?' holodd Arthur eto, gan bwysleisio'r 'i' y tro hwn.

Agorodd y drws a daeth Branwen i mewn yn cario coffi ar hambwrdd. 'Ydych chi'ch dau wedi rhoi'r byd yn ei le eto?' holodd.

'Ddim yn llwyr, Branwen. Rhyw dipyn bach eto os

byddet ti mor garedig?' meddai Gruffudd yn gwrtais ond yn bendant.

'Iawn,' meddai Branwen. 'Rwy'n gwybod fy lle,' meddai'n goeglyd wrth gau'r drws.

'Dyna pam,' meddai Gruffudd, ac amneidio at y drws. 'Mae fy merch wedi gweld rhywbeth ynot ti, ac os yw pethau am ddatblygu, rwy am iddyn nhw ddatblygu yn y ffordd gywir. Doedden ni ddim wedi cwrdd yn iawn tan heno, ond mae'n llwybrau wedi croesi sawl gwaith yn ddiweddar. Meddwl y byddai bod yn onest yn syniad da.'

'Rhyw fath o roi'r record yn strêt?'

'Ie.'

'Felly dyden ni ond hanner ffordd trwy'r stori?'

'Nac ydyn.'

'Roeddech chi'n gwybod popeth ar hyd yr adeg, yn doeddech chi?'

'Fwy neu lai.'

'Chi ddaeth â'r Special Branch i mewn.'

'Ie, ond nid fi oedd y dyn drwg fel roeddet ti'n ei feddwl!'

'Sut oeddech chi'n gwybod am y cyffuriau?'

'Does dim llawer na wn i amdano yn y Berig. Gad i mi ddangos rhywbeth i ti,' meddai Gruffudd, gan dywys Arthur i ben bellaf yr ystafell wydr ac agor drws i ystafell fechan gyfochrog. Ynddi roedd nifer o fonitorau teledu ar y wal a bwrdd o liferi a botymau oddi tanynt. 'Yn ddigon hawdd. Mae technoleg yn beth gwych, Arthur,' meddai, a chynnig y sedd o flaen y monitorau iddo. 'Ble yn y Berig hoffet ti ei weld?'

Eisteddodd Arthur yno'n syfrdan am eiliad cyn dweud yn sydyn, 'Teiars Glan y Môr.'

Gwasgodd Gruffudd un o'r botymau ac ymddangosodd un o strydoedd y Berig yn glir ar sgrin, a'r garej yn ei chanol.

'Yr hufenfa,' meddai Arthur. Gwasgodd Gruffudd fotwm arall a dangos y ffatri.

'Y môr? O na, mae hi'n nos.'

'Dim problem,' meddai Gruffudd ac arddangos llun *infra-red* o'r tonnau.

'Y maes carafannau.' Ymddangosodd y maes ar bedwaredd sgrin. 'Be am y fan lle bu farw'r dyn o Solihull?'

'Does dim camera'n pwyntio'r ffordd honno, mae arna i ofn.'

'Be am garafán y dynion efo'r BMW du?' holodd Arthur.

'Dim camera'n pwyntio'r ffordd honno chwaith. Roedden nhw o dan y radar,' meddai Gruffudd heb oedi.

Roedd meddwl Arthur yn chwyrlïo mwya sydyn. Sut gwyddai Ap mai yn y maes carafannau y dechreuodd taith y BMW? Roedd y wybodaeth am y gyflafan gyda'r BMW yng nghanolbarth Lloegr yn wybodaeth gyhoeddus, ond dim ond fe, gyda chymorth lluniau Prendergast, oedd wedi cysylltu'r dynion â'r maes carfannau.

'Ond doedden nhw ddim o dan radar ein llyfrgellydd ni o Solihull,' parhaodd Arthur, gan geisio cuddio'r berw oedd yn troelli yn ei ymennydd.

'Efallai ddim,' atebodd Gruffudd.

'Nhw laddodd Mr Prendergast?' holodd Arthur yn sydyn.

'Fyddwn ni byth yn gwybod i sicrwydd, na fyddwn? Yr unig beth ddweda i yw nad ni wnaeth. Dyna beth oedd wedi croesi dy feddwl di, yndife?'

Nid ymatebodd Arthur. 'Oedden nhw yn yr un potes?' holodd ar ôl ennyd.

'Potes hollol wahanol, ddwedwn i, o weld digwyddiadau diweddar. Gang arall. Gweld cyfle a manteisio arno. Ond pwy a ŵyr am gysylltiadau dirgel yn Annwn?' oedd sylw barddonol Gruffudd. Gwyddai na fyddai'r cyfeiriad at y Mabinogi'n cael ei wastraffu ar Arthur.

'Fyddan nhw ddim yn poeni'r ardal hon eto, fyddan nhw?' ymatebodd Arthur. 'Aeth cŵn Annwn ar eu holau,' meddai, ac edrych yn syth i lygaid Gruffudd.

'Pwy a ŵyr, pwy a ŵyr?' meddai Gruffudd, yn gwerthfawrogi'r sylw diwylliedig ac yn edrych yn syth yn ôl i lygaid yr Inspector.

'Fyddan nhw ddim yn amharu ar burdeb yr ardal mwyach,' meddai Goss.

'Na fyddan,' meddai Gruffudd.

'Mae'r strydoedd yn lân o gyffuriau, yn ôl pob sôn. Nhw oedd y pedlerwyr lleol, ac roedden nhw o flaen ein trwynau drwy'r amser,' ychwanegodd Goss.

'Gwynt teg ar eu hôl nhw, ddweda i,' meddai Gruffudd yn bendant, fel petai am ddynodi bod cyfnod y datgelu wedi dod i ben. Hebryngodd Arthur yn ôl i lolfa'r tŷ gwydr.

'Reit,' meddai wedyn ar ôl ysbaid o dawelwch. 'I ddod at y pwynt. Rwyt ti ar fin ymddeol. Mae perthynas yn dechrau datblygu rhyngot ti a Branwen, os yw'r wên sy wedi bod ar ei hwyneb dros yr wythnos diwethaf yn arwydd.' Nid atebodd Arthur.

'Wel,' aeth Gruffudd yn ei flaen, 'meddwl oeddwn i, fyddai diddordeb gyda ti mewn aros yn y byd gwaith am gyfnod?'

'Ym mha ffordd?'

'Mae angen pennaeth diogelwch arnon ni,' meddai

Gruffudd, ac edrych yn syth i lygaid Arthur. Ni symudodd Arthur ei lygaid oddi wrtho.

'Y cwestiwn cyntaf sy gen i ydy pam,' meddai ar ôl meddwl am eiliad.

'Wel, mae'r cwmni'n tyfu ac mae gwaith i'w wneud.'

'Ddim hynny, ond pam ydech chi'n gofyn i *mi*? Wedi'r cwbl, tydw i ddim wedi bod yn un o'r bobol fwya poblogaidd rownd y lle 'ma.'

'Os ydw i wedi dysgu un peth mewn busnes, cyflogi pobl dda ydy hwnnw. Mae dy bedigri di'n iawn, rwyt ti'n glyfar a ti'n rêl teriar, on'd wyt? Jest y math o berson ar gyfer y swydd ddisgrifiad sy 'da fi yn fy mhen, ac rwyt ti'r math o berson sy'n well ei gael yn piso mas o'r babell nag yn piso i mewn iddi,' ychwanegodd, cyn troi i edrych trwy'r ffenest i aros am ymateb Arthur.

Gwenodd Arthur ar yr adlais o'r idiom a glywsai gan DCI Stanley. 'Be os gwna i wrthod?' holodd, a throi i edrych trwy'r ffenest wrth ochr Gruffudd.

'Fe allet ti ddweud ei fod e'n gynnig na elli di mo'i wrthod. Mae popeth 'da ti i'w ennill o'i dderbyn.'

'A phopeth i'w golli o'i wrthod?' holodd Arthur. Roedd digwyddiadau'r wythnosau diwethaf yn rasio trwy ei ben.

'Efallai wir, efallai wir,' meddai Gruffudd yn fyfyriol, yn dal i edrych drwy'r ffenest. Oedodd Arthur yn hir cyn ateb. Trodd at Gruffudd. Roedd y penderfyniad wedi ei wneud.

'Y broblem sy gen i ydy hyn,' meddai Goss, gan estyn i boced ei siaced, cydio yn lluniau Prendergast o du mewn a thu allan chwarel y Berig, a'u cyflwyno i Gruffudd. Edrychodd Gruffudd ar y ddau lun. Nid oedd arlliw o fraw nac emosiwn i'w weld yn ei wyneb. Rhoddodd nhw yn ôl i Goss.

'A?' holodd.

'Dydy arian y deyrnas ddim wedi dod drwy ddulliau hollol gyfreithlon, ydy o?' holodd Goss.

'O ble daeth y rhain?' holodd Gruffudd.

'O gamera Prendergast.'

'Roedd ei drwyn e wedi bod ym mhobman. Ro'n i'n iawn, on'd o'n i? Rwyt ti'n rêl teriar.' Trodd Gruffudd i edrych i fyw llygaid Arthur. 'Ond rwyt ti'n deriar naïf iawn. Heno, rwy wedi agor cil y drws i ti i fywyd lle mae pobl yn meddwl yn fawr, lle nad ydyn nhw'n hollti blew. Mae'n fyd lle mae pobl â gweledigaeth yn byw, rhai sydd am greu rhywbeth, nid ei ddymchwel. Dydw i ddim yn mynd i gelu unrhyw beth. Os buodd planhigfa ganabis 'da ni yn y chwarel – a dydy'r rhain ddim yn dystiolaeth o hynny,' meddai, gan gyfeirio at y lluniau, 'does dim byd yno nawr. Wnaethpwyd dim niwed, a does dim cyffuriau caled yma. Fe wnaeth Special Branch waith da yn hynny o beth, ac fel dwedaist ti, mae'r strydoedd yn lân. Paid â dweud na chest ti sbliff neu ddau yn y dyddiau a fu, a wnaeth hynny ddim drwg i ti. Maen nhw'n gwerthu'r cyffur yn gyfreithlon yn Amsterdam.' Ni wyrodd llygaid Gruffudd am eiliad wrth iddo siarad.

'A beth wnewch chi, Mr Goss?' meddai Gruffudd, yn siarad yn ffurfiol yn sydyn. 'Ydych chi'n mynd i roi sbaner yn y wyrcs mwyaf arloesol sy wedi digwydd yn yr ardal hon erioed, a bygwth cannoedd o swyddi? Mae'r ardal yn ffynnu am y tro cyntaf ers blynyddoedd ac yn gwneud hynny ar ei liwt ei hun. Rydyn ni Gymry'n sefyll ar ein traed ein hunain o'r diwedd ac yn ymfalchïo yn y ffaith.' Nid atebodd Goss. Gadawodd i'r geiriau lifo. Roedd grym y gŵr o'i flaen yn mynnu hynny.

'A beth ydych chi'n ei wneud ond corddi'r dyfroedd?'

meddai Gruffudd a dicter yn ei lais. 'Ydych chi'n meddwl y cewch chi glust unrhyw un? Choelia i byth!' Edrychodd ar y llawr yn feddylgar cyn ychwanegu, a'i lais wedi tawelu, 'Chi'n gwybod beth, fe ddaethoch chi yma fel Arthur,' cododd ei olygon eto, 'ond fe fyddwch chi'n gadael fel Inspector Goss, ac mae hynny'n dristwch mawr i mi.' Eisteddodd. Daethai ei druth i ben.

Roedd calon Arthur yn curo fel gordd.

'Pwy oedd cŵn Annwn? Dyna hoffwn i ei wybod,' meddai, a'i lygaid yn pefrio.

'Gei di fyth wybod,' oedd ymateb chwyrn Gruffudd. Ond roedd y 'gei di' yn hytrach na 'gawn ni' yn adrodd cyfrolau i Goss.

'Diolch. Diolch yn fawr,' meddai Goss gan wenu'n oeraidd ar Gruffudd. Am ennyd, daeth cwmwl o ansicrwydd dros wyneb yr hen ŵr, a throdd i ffwrdd.

Daeth Branwen drwy'r drws yn hwyliog. 'Chi ddynion wedi cwpla trafod ta beth mae dynion yn ei drafod?' Safodd yn stond wrth weld yr olwg ddifrifol ar wynebau'r ddau. 'Beth sy'n bod?' holodd, a phryder yn amlwg yn ei llais. Edrychodd Gruffudd yn drist ar ei ferch. 'Beth sy'n bod, Nhad?' meddai hi eto. Arhosodd Gruffudd yn ei gadair. Ni ddywedodd ddim.

Cododd Arthur a'i hwynebu. 'Jest wedi gwrthod bod yn aelod o'r clwb, dyna i gyd. Erioed wedi gallu cydymffurfio, am wn i.' Cusanodd hi'n ysgafn ar ei thalcen. Roedd dagrau'n dechrau cronni yn ei llygaid. 'Y cyfan yn llawer rhy berffaith ac yn rhy aflêr ar yr un pryd, am wn i,' meddai, a throi am y drws.

Safai Branwen yno'n rhythu ar ei thad.

'Nhad, beth sy wedi digwydd?' gwaeddodd trwy ei dagrau.

* * *

Roedd y glaw wedi peidio. Taniodd Arthur ei gar. Sgrialodd y teiars ar y cerrig mân a throdd i lawr y lôn. Gwasgodd y botwm wrth y gât ac agorodd y porth. Nid edrychodd yn ei ôl i weld Branwen yn sefyll wrth ddrws y tŷ yn galw arno.

Wedi iddo adael parthau'r Berig, arhosodd mewn cilfach. Tynnodd y ffôn o'i boced, diffodd y recordiad a'i ollwng yn ddiseremoni ar y sedd wrth ei ochr. 'Bastard gwirion,' meddai gyda sgrech tua'r to, a tharo'i ben yn galed erbyn yr olwyn.

*   *   *

Cyrhaeddodd ei fflat, agor y drws, rhoi'r ffôn newydd ar y bwrdd a mynd i ddiosg ei ddillad. Ar gefn drws ei ystafell wely, hongiai ei ŵn gwisgo lliwgar, newydd. Dewisodd yr hen un llwydaidd, a'i wisgo. Roedd yn fwy addas ar gyfer y tywyllwch yn ei enaid a'r trymder yn ei galon. Agorodd yr oergell a thynnu'r botel Jameson allan. Tywalltodd ddracht sylweddol o'r wisgi i wydryn oedd ger y sinc a thanio sigarét.

Diweddglo

Roedd ei ben yn dyrnu pan ddeffrodd. Agorodd y llenni.
Hanner obeithiai weld Mercedes bychan y tu allan. Nid
oedd un.

Roedd hi'n hanner awr wedi deg erbyn i'r tabledi
parasetamol gael eu heffaith ac i'r cur yn ei ben ddechrau
cilio. Edrychodd arno'i hun yn y drych a gwaredu mor
salw a hen yr ymddangosai o'i gymharu â'r llanc a welsai
yn y dyddiau diwethaf.

Cododd y ffôn newydd o'r bwrdd lle gadawodd ef
y noson cynt. Nid oedd am wrando ar ei recordiad
llwyddiannus. Agorodd y cefn a thynnu'r cerdyn o fol y
peiriant. Agorodd ddrôr yn y ddesg o dan y ffenest, tynnu
amlen ohono a rhoi'r cerdyn ynddi. Llyfodd yr amlen a'i
chau. Ysgrifennodd 'Cwnstabl Price' arni. Ystyriodd a
ddylai ychwanegu neges, ond penderfynodd mai gwell
fyddai egluro wyneb yn wyneb.

*   *   *

Roedd James wrth y cownter fel arfer pan gerddodd Goss
i mewn i swyddfa'r heddlu. 'Bore da, syr,' meddai. 'Coffi?'
holodd wedyn, wrth sylwi ar yr olwg braidd yn fregus ac
aflêr oedd ar ei fòs.

'Ie, plis,' atebodd Goss. 'Ydy Doug Ellis i mewn?'

'Mas yn Gernant. Rhagor o feiciau cwad wedi diflannu.'

'Mae'r swyddfa'n wag 'te?'

'Ydy. Y coffi yn y swyddfa, syr?'

'Ie,' ac agorodd Goss y drws ac eistedd yn ei gadair.

Roedd rhai o'i dranglins yn dal yno, ond cawsant eu symud o'u priod leoedd, yn arwydd clir o'r ffaith mai rhywun arall oedd yn trigo yno bellach.

Cododd y ffôn a deialu. 'Inspector Goss sy yma, Nesta. Ga i siarad efo Mr Whitaker, plis? Ydy o'n bwysig? Ydy . . . Diolch.' Roedd saib tra oedd yr ysgrifenyddes yn trosglwyddo'r alwad.

'Helô, Mr Whitaker, Goss yma . . . Na, fydda i ddim yn hir, wna i ddim eich cadw chi o'r cyfarfod. Jest galw i ddweud 'mod i'n ymddeol. Pryd? Wel, heddiw oeddwn i'n feddwl. Yn cymryd yn ganiataol na fyddai gwrthwynebiad gennych chi. Mae tipyn go lew o wylie'n ddyledus i mi, a dwi'n siŵr na fyddwch yn gweld colled ar fy ôl i.'

Roedd seibiant hir tra gwrandawai Arthur. 'Wel, dyna ni 'te. Diolch am bopeth a hwyl fawr.' Rhoddodd y derbynnydd yn ei grud. Chwythodd wynt o'i fochau ac eistedd yn ôl yn ei gadair.

Daeth James i mewn a chwpan yn ei law ac amlen drwchus dan ei gesail. 'Coffi, syr.'

'Diolch, James. Diolch am y gwglo yna i gyd. Defnyddiol iawn.'

'Hwn wedi cyrraedd i chi,' meddai James gan gyflwyno'r amlen.

'Diolch, James. Fe gei di fod y cyntaf i wybod.'

'Beth?'

'Dwi ddim ar fy ngwyliau mwyach.'

'Odych chi'n dod 'nôl i'r gwaith?'

'Nac ydw. Dwi'n ymddeol.'

'Pryd?'

'Heddiw.'

'O,' meddai James, yn amlwg ddim yn siŵr sut i ymateb i'r newyddion. 'Fe fydd yn rhaid i ni gael dŵ i chi, syr.'

'"Dŵ"?'

'Ie, tipyn o barti, cyflwyno cloc a phethe felly.'

'Oes raid?' holodd Arthur.

'Mae'n draddodiad o fath, syr. Bydde'n drueni peidio gweud hwyl fawr.'

Cododd Arthur un o'i aeliau, ond ildiodd i'w dynged.

'Llongyfarchiade, Mr Goss,' meddai James.

'Galw fi'n Arthur, da ti,' meddai Goss.

'Iawn, Mr Goss,' meddai James a chau'r drws ar ei ôl.

Roedd marc post Birmingham ar yr amlen. Agorodd hi a darganfod swp o dudalennau gyda nodyn oddi wrth DS Bashir o Solihull.

Hi Mr Goss,

Thought you might find this interesting. It was on Ezra Lake's computer. I made a printout for you. Something more relevant to your patch than ours. Not exactly evidence of anything – no names, no pack drill – but a damn good read nonetheless. Pity he didn't finish it.

His death was ruled a suicide. Personally, not so sure, though he had suffered from depression in the past. No forced entry. Nothing stolen. His own gun, we believe. But he did upset a lot of people during his lifetime. A very convenient suicide, shall we say!

There were a lot of photos in a file called 'Prendergast'. Lots of Welsh on the road signs. Your area too, I think. Bit of a coincidence?

Stay well and don't get lost.

Regards
Rita Bashir

Gwenodd Arthur ac edrych ar y papur. Y teitl ar y dudalen flaen oedd 'Velvet Mafia'. Trawodd gip dros y dudalen gyntaf cyn rhoi'r tudalennau 'nôl yn yr amlen. Cododd, rhoi'r amlen dan ei gesail, a throi tua'r drws. Oedodd am eiliad cyn ei agor, ac edrych yn fyfyriol o gwmpas yr ystafell. Tynnodd yr amlen o'i gesail, agor drôr cwpwrdd ffeilio cyfagos a'i gollwng hi ynddo. Oedodd am ennyd, agor y drôr eto, rhoi'r amlen 'nôl dan ei gesail a gadael.

'Diolch am bopeth, James,' meddai Arthur wrth basio'r ddesg.

'Pob lwc, syr, ym, Arthur,' atebodd James wrth i Arthur gamu'n bendant trwy ddrws swyddfa'r heddlu.

*   *   *

Ni wyddai a fyddai Price gartref, ond canodd y gloch. Clywodd rywun yn dynesu'r ochr arall i'r drws. Roedd tipyn o syndod ar wyneb yr heddwas ifanc o weld ei fòs yno.

'Mr Goss, Mam,' meddai, yn gweiddi i fyny'r grisiau.

'Wel, dere â fe mewn,' daeth y llais yn ôl.

'Na, dwi ddim yn aros,' meddai Arthur.

'Ma' hi'n edrych fel glaw ac ma' Mam wedi gwneud cawl. Alla i ddim eich temtio chi?'

'Jest galw i ddweud oeddwn i. Dwi'n ymddeol.'

'O'n i'n gwbod 'ny, syr.'

'Ond dwi'n ymddeol rŵan.'

'Beth, nawr?'

'Ie, heddiw. Eisiau gofyn i ti gadw rhywbeth i mi.'

Rhoddodd Arthur ei law ym mhoced ei siaced a dechrau tynnu'r amlen ohoni.

'Dim problem, syr. Chi wedi clywed fy newyddion i?'
'Naddo.'

'Wy wedi cael dyrchafiad, syr. Wel, mwy o *transfer* nag o ddyrchafiad, a gweud y gwir, ond mae'r cyflog yn well.'
'O, ie?'

'Special Branch, syr. Fe glywes i ddoe. Trueni drosto i, am wn i, ar ôl hwn,' meddai Price gan gyfeirio at ei fraich.
'Pryd fyddi di'n dechre?'

'Cyn gynted ag wy'n well, medden nhw.'

'Llongyfarchiadau. Gobeithio byddi di'n hapus.'

'Wel, wy wedi dysgu lot yn yr wthnose dwetha hyn, yn gwitho 'da chi.'

'Dim ond am bum munud fuost ti efo fi.'

'Ond fe ddysges i lot yn y "pum munud" 'na. O'ch chi'n gweud bo' chi moyn i fi gadw rhywbeth i chi?'

Oedodd Arthur cyn ateb. 'Na, mae'n iawn,' meddai, gan ollwng yr amlen yn ôl i waelod ei boced a'i gadael hi yno. 'Dim ond syniad oedd o, rhywbeth hollol dwp. Anghofia amdano fo.' *Pysgotwr unig ydw i wedi'r cwbl,* meddyliodd. *Amynedd piau hi. Daw'r amser gyda'r dŵr.* A gwenodd.

'Iawn, syr,' meddai Price a nodyn o benbleth yn ei lais. Ni holodd ymhellach, o barch at ei fòs.

'Fyddi di ddim o gwmpas felly,' ychwanegodd Arthur.

'Na, wy'n mynd i fod yn gw'itho i ffwrdd dipyn, o beth rwy'n deall.'

'Iawn. Edrych ar ôl dy hun 'te. Mae'n hen fyd mawr creulon.'

'Fe wnaf i, syr. Ni ddim angen rhagor o hyn, y'n ni?' meddai'r heddwas ifanc gan gyfeirio at ei fraich eto.

'Nac yden, wir,' atebodd Arthur a throi i fynd.

'Wela i chi 'te, syr.'

'Siŵr braidd,' meddai Arthur, a chodi ei law wrth fynd trwy'r giât.

Cawsai ennyd o wewyr ysbryd annibynnol wrth y drws, ond wrth iddo gerdded ar hyd y stryd o dŷ Price roedd yr amlen yn ei boced yn mynd yn drymach rywsut. Gallai deimlo'r düwch yn cronni yn ei berfedd ac yn lledaenu trwy ei gorff. Roedd sicrwydd yn y sefydliad y bu'n rhan ohono trwy gydol ei yrfa wedi ei adael hefyd. Pysgod mawr i'w dal heb gymorth rhwyd, meddyliodd. Roedd ei drymder meddyliol bron â'i lethu, ac ing ei unigrwydd yn brifo i'r byw.

Clywodd 'bing' o'i ffôn yn dynodi neges. Tynnodd ef o'i boced i'w darllen. Nid oedd yn siŵr p'un ai trist neu falch ydoedd nad oddi wrth Branwen yr oedd y neges.

Hi Dad, ar y ffordd adre. Cyrraedd dydd Mercher 9.00a.m. Siawns am lifft o Heathrow?

Dechreuodd arllwys y glaw yn sydyn. Glaw taranau. Ni cheisiodd Goss gysgodi, ond safodd yno a'r diferion yn tasgu oddi ar ei wyneb a'r dŵr yn treiddio i lawr ei war.

Mewn arhosfan fysiau'r atebodd y neges.

OK. Wela i di yno.

Daeth cri gwylan o rywle fel petai'n chwerthin am ei ben. Trodd Arthur i edrych arni'n clwydo ar ben simdde gyfagos.

Taniodd sigarét a thynnu'n ddwfn arni.

Cerddodd ymlaen yn y glaw. Ni wyddai i ble – eto.